D0512423

Je bosse ENFIN à la télé !

Charlotte Blum

Je bosse ENFIN à la télé !

ÉDITIONS FRANCE LOISIRS

Site internet de l'auteur :
leshistoiresdecharlotte.unblog.fr
Sur Facebook : Marion Teentv

Édition du Club France Loisirs,
avec l'autorisation des Éditions l'Archipel

Éditions France Loisirs
123, boulevard de Grenelle, Paris
www.franceloisirs.com

© L'Archipel, 2011.

ISBN : 978-2-298-04929-9

À ma mère

1

Statut Facebook : Jour 1, en mode winneuse.

Aujourd'hui est un grand jour pour moi. Si ce jour était un mec, il ferait au moins 1,90 m. Je vais bosser chez Teen TV ! Je n'ai pas dormi de la nuit, mais ma fatigue est planquée sous une couche de fond de teint. J'ai mis mes fringues fétiches — un peu serrées, j'ai dû forcer sur le chocolat ces derniers temps. Il me reste trente minutes avant de partir, je me laisse tomber sur le canapé, allume la télé et zappe jusqu'à ma chaîne préférée… Teen TV.

Ado, j'y ai découvert les meilleurs groupes du monde, les premières émissions de télé-réalité, les animateurs *british* qui parlaient si vite que je devais me concentrer à fond pour les comprendre. J'étais trop fière d'avoir le câble, mes amis venaient regarder la télé chez moi, on chantait, on se sentait en avance sur les autres. Et aujourd'hui… je passe de l'autre côté de l'écran. Ma vie prend un virage passionnant.

Mon portable sonne. C'est Vincent, mon meilleur pote.

— Alors poulette, t'es prête ?

— Je crois !

— Comment ça, tu *crois* ? Il faut y aller là, c'est l'heure. On fait un dernier check ?

— OK, vas-y.

— It-bag XXL acheté avec moi la semaine dernière ?

— Check.

— Tenue porte-bonheur ?

— Check. J'ai mis mon top chinois, mais il me boudine un peu.

— Rentre le ventre, on n'a plus le temps de se changer là. Pas de miettes de Smacks coincées entre les dents ?

— Check.

— Maquillage ?

— Minicheck. Juste du fond de teint, je ne veux pas passer pour une pétasse.

— Bon point. Et, enfin, le check qui tue : t'es gonflée à bloc ?

— Check, super check. Je vais les manger en brochette.

— Alors, ma belle, tu bouges parce que tu vas être en retard. Appelle-moi tout à l'heure.

J'éteins la TV. C'est parti.

Statut Facebook : Premier jour du reste de ma vie.

Dès que je passe la porte à tambour de Teen TV, les ennuis commencent. À l'accueil, l'hôtesse exige ma carte d'identité en échange d'un badge « visiteur ».

— Je ne suis pas un visiteur mais Marion, la nouvelle assistante de William Desalle. Le directeur d'antenne.

— Je sais qui est William Desalle, mais personne ne m'a parlé de votre arrivée, donc il me faut une carte d'identité. C'est la procédure.

Elle a avalé un balai-brosse et ça lui va bien.

— Les mythomanes prêts à tout pour un casting, je connais. Alors, c'est simple, pas de carte, pas de badge.

Évidemment, je ne l'ai pas sur moi : comme je perds tout, j'évite de me promener avec des trucs importants... C'est une mauvaise technique.

— Vous ne pouvez pas contacter la responsable du personnel ? Ou M. Desalle ? Ils vous confirmeront que je viens d'être embauchée.

— Mme Mignoute est en congé, et William n'est pas encore arrivé. Nous sommes dans une impasse. Désolée.

Heureusement, une fille au décolleté obscène arrive à ma rescousse.

— Lâche-lui la grappe et laisse-la entrer sans discuter.

11

Ouf, ça marche : l'hôtesse renifle d'un air méprisant, mais elle me tend mon badge. Gagné. Je rattrape en courant la fille qui m'a sauvée.

— … Euh, merci beaucoup, en fait je ne savais pas qu'il fallait une carte d'identité et… c'est très gentil de votre part…

— C'est pas pour toi que j'ai fait ça. Je ne supporte pas cette nana qui se croit à la CIA et nous gonfle tous les jours avec ses histoires de badge.

Bonjour l'accueil. Ma grand-mère m'a toujours dit de remercier « plutôt deux fois qu'une ». Je crois qu'une suffira amplement. La journée commence fort, mais je ne suis pas du genre à me laisser abattre. Je respire un grand coup, retrouve d'instinct l'*open space* que m'avait montré William après mon ultime entretien et m'installe derrière le seul bureau libre. Cela m'aura pris huit ans et vingt minutes pour arriver ici.

Nous sommes une dizaine dans l'*open space* et la chaleur est étouffante. J'apprendrai plus tard que les radiateurs sont bloqués sur 30 mais comme ce n'est le boulot de personne de s'en occuper, ça reste comme ça. Super ! La chaleur me donne soit la migraine, soit la nausée, soit les deux. Note sur mon iPhone pour plus tard : acheter du Spédifen et du Primpéran.

La moquette est tachée, mais les murs sont couverts de disques d'or, et ça, ça me plaît. Chaque bureau dispose de plusieurs télés, de manière à produire le maximum de boucan. J'adore. Les fenêtres sont minuscules, sauf une qui ouvre sur un minibalcon sur lequel on tient à deux, à condition de rester debout. Personne ne me demande ce que je fais là. Je suppose que je devrais me présenter, mais je préfère attendre William. Mon petit bureau est vide. Juste un ordinateur portable et un mug. Le mug n'est pas un cadeau de bienvenue, mais celui de William à qui je dois apporter un thé chaud dès qu'il claque des doigts. Ce mug, c'est mon outil de travail.

Réflexe humain, je jette un coup d'œil rapide autour de moi. Mes collègues sont toutes des filles. Plus précisément des squelettes : la peau sur les os, habillées comme dans les magazines, les cheveux Babylissés. La comparaison avec mon look de la journée me fait mal. Mon top chinois est totalement *has been* à côté de leurs marinières Jean-Paul Gaultier et leurs jeans Diesel. Idem pour les chaussures : elles portent toutes des talons. De quoi j'ai l'air, avec mes Converse ? Mais le pire, c'est la coupe de cheveux. Avec ma queue-de-cheval, je ressemble à une nana qui passe le concours des ratés de l'Opéra. Ici, la frange est de rigueur. Effilée et oblique. Ou bien droite, style pin-up. Je me suis plantée sur toute la ligne.

En regardant bien, je m'aperçois qu'il y a aussi un garçon, au fond de l'*open space*. Caché derrière les plantes vertes, il ne bouge pas — si ça se trouve, il est mort. Au milieu de tous ces tas d'os, ça n'aurait rien d'étonnant.

Les yeux baissés, je me répète en boucle que j'ai une chance folle d'avoir trouvé un job ici. Je me suis battue pour être embauchée, avec quatre entretiens, des fringues neuves, des sourires forcés et quelques mensonges. Moi qui ne suis pourtant pas du genre à me la péter, j'ai réussi à leur faire croire :

1° – Que je connais parfaitement les stratégies des chaînes concurrentes (totalement faux).

2° – Que je m'intègre en un clin d'œil dans une nouvelle boîte (alors que ma timidité me pourrit la vie).

3° – Que l'argent compte moins pour moi qu'un travail épanouissant (ce qui est très exagéré).

À 11 heures, mon chef débarque. Il a un look hors du temps, il faudra m'y habituer. Poils de lapin angora fièrement sortis d'un pull moulant col V, cheveux gominés avec la raie au milieu qui dessine des vagues, pantalon en cuir trop court, bottes de moto avec des sangles, genre *Easy Rider* et dents fluo à la Bon Jovi. Je repense à cet épisode de *Friends* dans lequel Ross porte un fut en cuir tellement serré qu'il doit mettre du talc pour l'enlever… J'ai envie de rire. Pas lui.

— OK, Marion… alors, t'es grande, tu fais le tour des bureaux et tu te présentes. Je vais balancer un mail pour prévenir de ton arrivée, ils ne vont pas te manger.

Il envoie en effet un mail depuis mon ordinateur, avec une faute à mon prénom (Marine au lieu de Marion). Il me donne aussi les codes d'accès pour lire ses mails.

— Moi, j'ai pas le temps de les lire. Trop de taf, mais tu t'en doutes puisque tu es là pour que je respire. Donc tu gardes les yeux rivés sur ma boîte mail et tu me bipes dès qu'il y a un truc important. Comme tout est important, tu tries parce que je ne veux pas recevoir un texto toutes les cinq minutes. Et tu ne m'appelles pas, je n'ai pas non plus le temps de parler. Tes messages doivent être brefs, clairs et complets. Compris ?

J'ai envie de répondre « Compris chef », mais je me contente d'un petit « Oui, William ». Bref, clair et complet. Pour le moment, il vaut mieux faire profil bas. J'ai bien remarqué aux entretiens que la DRH m'appréciait beaucoup plus que lui. La preuve : il part sans me dire où il va.

En fait, je vais mettre dix minutes pour comprendre que je ne le trouverai nulle part, puisqu'il n'a pas de bureau. Son bureau, c'est le mien. Il viendra quand il en aura besoin et bossera sur mon ordi. Ou bien il me fera faire le boulot, installé sur mon épaule. Le reste du temps, il sera dehors ou en réunion.

Je regarde ses mails dont l'un me concerne directement : « Alors, elle est bonne la nouvelle ? » Super.

Rassemblant tout mon courage, je me présente à mes nouveaux collègues. Ça va vite, personne n'a le temps de bavasser ni de m'expliquer ce qu'il fait — ce qui m'évite de faire semblant de comprendre. Marketing antenne, programmation, bandes-annonces, cross-promo, régie pub… Tout ça me dit quelque chose — de très loin. Je m'étonne à sortir des phrases comme « Ah oui, c'est très très intéressant » en sachant qu'ils ne m'écoutent pas. Tous les termes pro se mélangent déjà dans ma tête, j'ai peur d'avoir vu trop grand en voulant travailler ici. Ils ont l'air super calés, ils parlent de télé comme s'ils racontaient leurs vacances et utilisent des mots comme « *Beta num, bug, Q3, Final Cut, conf de presse* », sans me donner la traduction.

Perdue dans les couloirs, je passe cinq fois devant les mêmes visages avant de retrouver mon bureau par hasard. Mes collègues doivent me prendre pour une quiche, mais je garde la tête haute, c'est mieux. Planquée derrière mon ordi, j'envoie juste un message de détresse à mes copines :

Objet : Au secours !

Je ne vais pas y arriver. Qu'est-ce que je fous là ?

2

Statut Facebook :
En mode défaite.

L'heure du déjeuner arrive : gros soulagement, j'ai besoin de sortir respirer. Personne ne me propose de l'accompagner, je fais donc les boutiques du quartier qui n'en manque pas : Opéra, le piège à carte bancaire. Un moche collier plus tard, je me pose sur un banc, déprimée. Pendant cinq ans, j'ai travaillé dans une chambre syndicale. Cinq ans dans la même boîte avec les mêmes personnes. J'étais comme mes nouveaux collègues : je connaissais mon boulot sur le bout des doigts, pouvais répondre à toutes les questions, dépanner en cas de problème (de la formule Excel qui débloque au dossier classé n'importe où). Même si je savais que ma place n'était pas celle-là. Tout ce que j'y ai appris, c'était pour me préparer à la télé. Pour ne pas débarquer sans bagage. Maintenant, je me demande si mon confort ne valait pas mieux… Teen TV, tu es au-dessus de mes compétences. Tu vas me provoquer quelques arrêts cardiaques.

J'ai envie de téléphoner à mes anciens collègues pour entendre des voix familières, mais je ne peux pas. Lorsque j'ai démissionné, j'ai paradé dans les couloirs, toute fière de quitter la chambre syndicale pour un monde de paillettes et de stars. J'étais une *warrior*, je partais à la guerre pour la gagner. Ça ne faisait pas rêver que moi : j'ai repéré des regards envieux... J'aurais l'air de quoi maintenant, si je leur parlais de mon mal-être ?

Je me sens comme une petite fille le jour de la rentrée des classes, à qui sa mère aurait, en plus, acheté des fringues d'occase. J'ai peur que les gens de la télé soient comme je les imagine... en pire : le nez plein de coke, superficiels, accros au boulot au point d'y dormir, anorexiques, cruels. J'en arrive à me demander ce qui m'a pris de quitter mon job, et pourquoi je ne me contente pas de la regarder avec un pot de Ben & Jerry's, cette fichue télé. J'appelle Vincent pour qu'il me console. Il décroche à la seconde.

— Alors, c'est comment de l'autre côté ? Tu t'es fait draguer ? Tu t'es droguée ? T'as vu des stars ?

— Je ne veux pas rester là !

— Non mais t'es folle ! C'est le show-biz, tout ça... Tu ne vas pas laisser tomber, non ? Tu sais combien de filles rêvent d'être à ta place ? Tu vas te remuer un peu le derrière, ma grande !

— Tu ne comprends pas ! Personne ne me parle, je suis grosse, tout le monde est maigre et je n'ai même pas de frange !

— Évidemment personne ne te parle, tu y es restée trois heures. T'es pas possible, toi. C'est fini la vie pépère et les horaires de fonctionnaire. Tu as choisi, tu assumes. Et puis c'est quoi, cette histoire d'être grosse ?

— J'ai des bourrelets sur les hanches et mon top est trop petit. J'ai honte, je ne veux pas y retourner.

— Tu n'as aucun bourrelet, tu es parfaite. Bon, écoute-moi bien parce que je le dirai une seule fois : un, tu vas acheter un haut à ta taille dans la première boutique venue. Deux, comme tu vas perdre du temps à l'essayer, tu prends un sandwich. Trois, comme tu n'es pas en forme, tu prends aussi une religieuse au chocolat. Et tu m'appelles ce soir. Et tu souris. Et tu ne chuchotes pas quand on te pose une question, tu ne regardes pas tes pieds, tu t'exprimes. C'est clair ?

— Tu peux répéter à partir de la religieuse ?

— Tu me fatigues. Allez, grouille. Et, oui, une frange t'irait bien.

Je dégote un chemisier noir à manches courtes et bouffantes chez H&M, et une paire de boucles d'oreilles pour détourner les regards de mes cheveux. Je choisis une salade plutôt qu'un sandwich parce que les filles m'ont trop complexée, un Coca light, mais ne fais pas l'impasse sur la religieuse, sinon je ne tiendrai pas tout l'après-midi. Je repars en direction de « Challenge TV » avec un peu plus de courage — et aussi parce que j'ai plus peur de Vincent que de n'importe quel boulot au monde.

En mon absence, quelqu'un a eu la bonne idée d'installer une télé sur mon bureau. Je m'apprête donc à déjeuner en regardant Teen TV sur *mon* écran, lorsque je sens le regard pesant de ma voisine d'en face. Elle a l'air aussi étonnée que si j'étais en train de déchiqueter un poulet avec les dents.

— Tu vas vraiment avaler tout ça ?

— Oh... c'est juste une salade et un dessert. J'ai faim... j'ai zappé le petit déj.

Je ne sais pas pourquoi je me justifie devant cette conne qui fait peine à voir avec ses petits bras maigrichons, mais c'est sorti tout seul.

— Ne zappe *jamais* le petit déj, sinon t'as pas fini de grossir...

— Oui... bien sûr... tu as raison... je...

Sous le choc, je cours ranger ma religieuse au frigo. J'aurais peut-être dû la cacher dès le début maintenant que j'y pense. C'est pas malin, on va me prendre pour une goinfre.

William passe lire ses mails et m'annonce qu'il a du boulot pour moi : il cherche une nouvelle animatrice « fraîche et cool ». À moi de la dénicher. Avec une voix de pré-ado apeurée, je lui parle de la première personne qui me vient à l'esprit, une blonde d'une émission de télé-réalité, à qui il est arrivé de sortir une bonne blague.

— OK, tu la fais venir rapidos, je dois y aller, on se voit demain.

Statut Facebook :
Mission impossible.

Petite montée de panique pour ma première mission : joindre et faire venir une nana qui est sur la couverture de *Oops !*, sans savoir comment la chercher, ni à qui demander, assise au milieu d'inconnus qui me terrorisent. Bon. J'appelle le standard de la chaîne qui a diffusé son émission, qui me passe une personne, qui m'en passe une autre, et une autre qui me fait patienter vingt minutes, et une quatrième qui me passe la fille en question. Parce qu'elle a beau signer des autographes chez Franprix, elle n'a rien de mieux à faire que de traîner sur place en espérant que quelqu'un lui propose un *vrai* travail (Miss Météo, par exemple). Je lui explique la situation en inventant une quelconque raison, parce que je ne sais pas pour quelle émission William a besoin d'elle. Elle fait sa starlette, prétend qu'elle a beaucoup de propositions, peu de temps, des voyages, des rendez-vous, puis me passe son agent (en gros, une assistante qui a fini de se limer les ongles) qui me demande de la recontacter dans une demi-heure et me raccroche au nez.

Tout ce cinéma m'a tellement fait transpirer que mes aisselles commencent à sentir le rance. Je cours me planquer aux toilettes et trempe des serviettes en papier avec du savon pour me laver en *speed*. Ça ne manque pas : des auréoles blanches apparaissent sur mon chemisier noir. Marion, tu n'en rates pas une.

Je m'assieds par terre, coincée entre les W-C et le dérouleur de PQ, la tête dans les genoux. À l'idée de rappeler, j'ai une crise d'angoisse. Cette truie va faire capoter ma première mission, j'en suis sûre. Et William n'est pas le genre de type à me consoler en me disant que je ferai mieux la prochaine fois, ça me paraît clair.

Mon iPhone à la main, je regarde les minutes qui passent trop vite. Une... deux... cinq... neuf... Avant de me décider à passer le coup de fil de la mort (avec dix minutes de retard), je me réfugie sur Facebook.

 Statut Facebook : En route pour le peloton d'exécution. Non, je n'en rajoute pas.

Mes doigts tremblent quand je compose le numéro de l'infecte agent/assistante, mais je prends ma voix super pro pour lui dire qu'il me faut une réponse ferme et immédiate de sa part. Elle n'a pas l'air épatée.

— Malika va essayer de venir pour un petit essai, toutefois je ne vous garantis rien, on ne sait jamais avec elle. Vendredi, à partir de 11 h 30. Mais ça peut tout aussi bien être 18 heures, donc soyez disponible toute la journée, elle ne se déplace pas pour rien.

Je la remercie même si j'ai envie de lui arracher les yeux et de les filer à mon cochon d'Inde, et raccroche, assez fière de moi. J'ai réussi un truc impossible. Si, si.

À 20 heures, je lance « À demain tout le monde, bonne soirée ». Dans l'assemblée, deux personnes relèvent la tête et me sourient : Carine, une fille qui parle très fort et très vite, et Frank, le type planqué derrière les plantes vertes. Je dévale les six étages et dégaine mon téléphone dès que mes pieds foulent le trottoir. Vite, vite, parler à Vincent.

— Alors, tu n'es pas morte ? C'est bien ça !

— Arrête de te moquer de moi. J'ai des ressources, assez pour m'en sortir. Il faut juste que je me souvienne où je les ai mises. On se voit ?

— Je te prépare à dîner, mais il est grand temps que tu te trouves un mec, mes voisins vont finir par croire que je suis hétéro…

— Et les miens, que j'ai déménagé. J'arrive à pied, j'en ai pour quarante minutes.

— Tu n'as pas mis de talons pour ton premier jour ?

— Non, Converse un jour, Converse toujours.

Statut Facebook : Jour 2. Plus cool que le 1, j'espère.

9 heures du mat. J'arrive la première, allume ma télé et mon ordi. J'ai déjà la peur au ventre. C'est fou ce que cet endroit m'impressionne. Pourtant, je n'attends rien d'extraordinaire de Teen TV. Je ne cherche pas à y réaliser une carrière fulgurante ni à écraser mes collègues pour prendre leur place. Je veux juste bien faire mon boulot. Et recevoir un remerciement une fois par mois. Ou deux.

Je jette un coup d'œil matinal sur Facebook, à la recherche de ceux qui partagent mon *open space*… Je les trouve : le responsable marketing est fan d'équitation ; la super mannequin *fashion* du bout du couloir adhère au groupe : « J'aime la Redoute parce que c'est pas cher et la livraison est rapide » ; et la Miss Prude de la compta précise qu'elle est *looking for* DES MECS !!! (en majuscule avec des points d'exclamation pour que tout le monde comprenne bien). Que des gens normaux, en somme.

Il est tellement tôt que je m'autorise une demi-heure pour envoyer un mail à ma bande de copines :

Objet : Ma vie en enfer

Salut les poulettes ! Désolée, pas eu le temps de vous téléphoner hier soir, mais je vous aime quand même. Ça y est, j'ai fait mon entrée dans le monde de la télé. Les filles sont belles et minces comme dans les magazines, je n'ai pas de bureau perso, la moquette est sale, et NON, il n'y a pas de stars dans les couloirs. Vous êtes dispos pour un dîner ? J'ai trop besoin de vous voirrrrr !!!! x o x o

3

Statut Facebook :
C'est Stephen King qui écrit
le scénario des journées, ici ?

À 11 h 30, je n'ai toujours aucun travail à abattre. Alors que je commence à somnoler, William débarque, son casque à moto sous le bras. Si je suis presque endormie, il n'est pas trop réveillé. Il me dit bonjour du bout des lèvres et me fait signe de lui laisser ma place. Me voilà debout devant tout le monde pendant qu'il regarde distraitement ses mails. Je me tords les doigts, fixe mes chaussures avec intérêt et constate que j'ai marché dans un truc douteux quand il s'adresse enfin à moi.

— T'as rien à faire ? Prépare-moi un thé. Earl Grey, un seul sucre, ni trop chaud ni trop froid, pas tiède non plus. Et ne souffle pas dessus pour que ça refroidisse, je déteste.

Je file chercher son thé magique, pile poil à la bonne température. Avant ça, je récure son mug qui n'a pas rencontré une Scotch Brite depuis la mort de Kurt Cobain en 1994. Je le pose à côté de lui.

— T'as téléphoné à la nana d'hier ? La potiche pour l'émission ? T'as eu tout l'après-midi… Je suppose que c'est bouclé, cette affaire ?

Je rougis, toute contente de pouvoir crâner parce que, oui, il a beau avoir tenté de me piéger, j'ai carrément assuré.

— Elle vient vendredi.

— Vendredi, c'est-à-dire ? Quelle heure ?

— Dans la journée. Comme elle est très occupée, elle va nous trouver une place dans son emploi du temps. J'ai bien dit que c'était très urgent.

— Non, mais qu'est-ce que tu racontes, là ? Ça veut dire quoi, « dans la journée » ? Tu crois que je vais attendre pendant des heures pour une godiche incapable d'aligner deux phrases ? C'est une blague ? T'as quand même pas été lui dire que c'était… urgent ?

— Vous m'avez dit de la booker *rapidement*, donc j'ai pensé que…

— *Tu as pensé que.* Elle est bonne, celle-là ! Tu rappelles et tu annules. J'en veux pas de cette nana, tu m'en trouves une autre. Et tu fais passer ce casting pour une faveur. J'exige que la fille arrive en rampant et en décolleté, qu'elle ait peur de moi et qu'elle pense que c'est Hollywood ici. Et arrête de me vouvoyer, on a quasiment le même âge.

Sur ce, il se lève en vérifiant que mes collègues n'en aient pas perdu une miette. L'air outré, il tâte son mug comme s'il avait une main-thermomètre, genre Inspecteur Gadget, me jette un œil dépité et balance :

— Tu liras *Le Thé pour les nuls* aussi. Merci bien.

Il renverse le mug, prend son casque et disparaît. Je me rassieds, au bord des larmes.

Statut Facebook : Je suis nulle, nulle, nulle.

Quelqu'un s'approche de mon bureau alors que je tente d'éponger mes larmes et le thé de William avec un unique kleenex. C'est Carine, la fille sympa qui m'a regardée quand j'ai dit au revoir la veille. De tout l'*open space*, elle est la seule à s'habiller simplement. Et avec ça, une carrure de sportive, pas un squelette genre Lindsay Lohan. Elle porte un jogging et des baskets, mais sa démarche est assurée. Bref, elle est ici chez elle. Hier, j'étais tellement aveuglée par mes angoisses que je n'avais pas remarqué qu'elle était… normale.

— Suis-moi, me dit-elle.

Je jette mon kleenex parfumé au thé dans la poubelle et la rejoins dans une salle de réunion vide. La « salle Lady Gaga », d'après la pancarte sur la porte.

— Ça va aller ?

La voix de Carine est dure, pourtant je vois qu'elle essaie d'être gentille. Je murmure :

— Oui, oui… Enfin non. Ça ne va pas vraiment, en fait.

— Ce que je vais te dire, tu le gardes pour toi sinon je suis virée.

Carine me regarde fixement et baisse la voix, comme s'il y avait un micro caché dans la salle.

— Tu te demandes pourquoi William est tout sauf cool ? Ça n'a rien à voir avec toi. Il voulait embaucher une amie de sa femme à ta place, mais elle était trop chère. Il n'a pas supporté qu'on lui demande de réviser ses exigences à la baisse. En fait, le message du big boss était clair : « Tu auras quelqu'un pour préparer ton thé, mais c'est nous qui allons la choisir. » Son ego en a pris un sacré coup. Dans la plupart des chaînes de télé, les directeurs d'antenne ont un bureau super classe avec des écrans télé, un canapé, une terrasse avec baie vitrée et tout le bazar. Lui, il se retrouve dans l'*open space* avec nous, et il déteste ça. Tu veux un conseil ? Souris et tutoie-le, sinon il a l'impression qu'il fait son âge. Ce qui est le cas, mais il ne faut pas le lui dire. Quant à son casque de moto, c'est un déguisement, il vient en bagnole. Ce mec est une fraude.

— Pourquoi tu me racontes ça ?

— Parce que je vois ta tête et ça me fait pitié. Détends-toi, c'est qu'un boulot, rien de plus.

— Mais tu ne peux pas comprendre ! J'ai attendu ce boulot toute ma vie !

— Ne rêve pas, cocotte, on n'est pas à Disneyland. Redescends sur terre, sinon tu vas morfler.

— C'est gentil de m'avoir parlé. Vraiment.

— Trouve quelqu'un pour ce fichu casting ! Achète la presse *people*, repère les raclures de soirées VIP qui portent encore des leggings léopard, piste-les et essaie de choper deux ou trois rendez-vous... Montre à

William que tu t'es donné du mal ; ça va être simple, il y a des milliers de filles qui rêvent de devenir animatrice.

Quand Carine retourne à son bureau, je me sens soulagée. À la pause déj, je suis son conseil. J'achète tous les mags *people* que je trouve, je les dépiaute et me fais une liste de cinq filles : une jeune chanteuse pas très distinguée, l'animatrice d'une chaîne concurrente qui me paraît assez branchée pour bosser ici, deux candidates de télé-réalité et une Miss Météo déjantée que j'aime bien.

Cinq heures de coups de téléphone, d'attente, de standardistes odieuses, d'agents hautains et de sueurs froides plus tard, j'ai calé trois rendez-vous. Les deux autres ne sont pas intéressées — à commencer par ma Miss Météo. Pas grave.

Statut Facebook : Yeah !!!!

Est-ce que je suis fière de moi ? C'est peu de le dire ! Je me félicite avec la religieuse planquée au frigo la veille et que je dévore en cachette dans les toilettes. J'ai envie d'aller raconter mes exploits à Carine, mais j'ai peur qu'elle me demande de la lâcher avec mes histoires. Un petit coup d'œil à mes mails perso : aucune de mes copines ne m'a répondu. Bizarre. Je prends mon sac, dis poliment au revoir et décolle. Si ce n'est pas une deuxième journée de tueuse, ça, qu'est-ce que c'est ?

Une fois dehors, je décide de rentrer à pied. Oreillette en place, je commence par appeler Béné et tombe sur son répondeur. Séverine ne répond pas non plus, mais Anna décroche.

— Bah alors, personne ne veut savoir à quoi ça ressemble, la vie à la télé ?

— On n'a pas trop le temps là, Marion.

— Un autre jour de la semaine alors ? Quand vous voulez, les filles, moi je suis *open*.

— Et hier, tu étais où ?

— Chez Vincent. Ma première journée a été éprouvante, il m'a invitée à dîner chez lui, ça m'a fait du bien.

— Et nous ?

— Vous… mais Anna je suis en train de te proposer un rendez-vous !

— On passe toujours après Vincent, c'est dingue. Écoute, on a toutes des problèmes en ce moment : Béné s'est fait lourder, Sev n'en peut plus de son boulot… Alors c'est pas le moment de te pavaner. Tes histoires de télé, ça ne nous tente pas.

— Me pavaner ? C'est mon genre ? Je vous ai dit que c'était l'enfer ici ! C'est tout sauf glamour, je t'assure… J'ai besoin de vous voir, les filles, ne me lâchez pas.

— On se rappelle ce week-end, OK ?

— Vous n'avez pas une soirée de libre cette semaine ? Vraiment ?

— On essaie de se voir dès qu'on trouve un créneau…

— On ne se quitte pas depuis la nuit des temps, mais là il faut que je vous supplie pour vous voir ?

— Tu n'as plus besoin de nous, t'es dans le show-biz. Allez, bye.

Elle me raccroche au nez. La dernière fois qu'elle a été aussi froide avec moi, elle croyait que j'avais dragué son mec à la soirée du réveillon, alors que je m'excusais d'avoir vomi sur ses chaussures. Estomaquée, je me laisse tomber sur un banc. Si je n'appelle pas Vincent tout de suite, je vais me mettre à pleurer.

— Elles sont jalouses, Marion. Ça t'étonne ?

— Mais jalouses de quoi ? C'est pourri, là-bas ! J'ai commencé ma journée par une engueulade totalement injuste et elles m'envient ?

— Souviens-toi de ce que représentait ce boulot pour toi il y a encore deux jours. T'avais l'impression de passer dans un autre monde. Il a fallu que tu y ailles vraiment pour que ça retombe comme un soufflé. Ça leur passera.

— En réalité, je m'en tape, qu'elles me snobent. J'aime mon boulot, même si on ne me dit pas bonjour, même si mon boss me persécute, même si je déjeune toute seule. Et je ne me suis pas battue pour laisser tomber au bout de deux petits jours. N'empêche, elles me déçoivent.

— Tu veux dîner à la maison ?

— Non, t'es un chou mais je vais rentrer, avaler trois kilos de muesli devant *Grey's Anatomy*, pleurer un bon coup, et demain je retourne au bureau la tête haute. Faut pas déconner, je ne vais pas me laisser abattre.

— Aaah ! Ça, c'est ma petite Marion !

Statut Facebook : Seule au monde.

Je n'ai pas regardé *Grey's Anatomy* ni mangé de muesli. Je me suis acheté un bon gros McDo que j'ai mangé devant Teen TV, MA chaîne. J'avais envie d'envoyer un mail à mes prétendues amies, histoire de leur dire ce que je pense de leur attitude, mais je me suis retenue. Trop peur de les perdre. Je suis quoi sans ma bande, moi ? Une célibataire coincée entre son pote gay et un cochon d'Inde dépressif qui carbure au Prozac depuis deux mois.

Je *dois* récupérer mes copines. C'est impossible qu'un job instaure de la distance entre nous. Au fond, je comprends qu'elles craignent que je change avec ce nouveau boulot. Mais elles devraient savoir que ce n'est pas mon genre. Je suis moi. Forgée par les conseils de ma mère, mes engueulades avec ma sœur, la musique que j'écoute, mes échecs, les mecs qui m'ont brisé le cœur…

Il faut que je me ressaisisse, que je fasse comme si c'était un boulot dans un endroit banal, et non la chaîne de télé la plus mortelle du monde. Juste une boîte comme les autres.

Allez, Marion, au lit. Demain, il va falloir être fraîche.

4

Statut Facebook : Qu'est-ce qu'il va m'inventer aujourd'hui, l'autre dingo ?

Le lendemain, Saskia déboule. Cette fille me fout les jetons. Elle a de l'allure, le visage sévère, les cheveux hyper courts… Classe naturelle, jamais rien qui détonne. Dans un jeu vidéo, elle ferait exploser un rocher rien qu'en le regardant. Devant elle, je ne suis qu'un misérable petit caillou.

— On est mercredi, il faut que tu envoies les grilles des programmes cet après. C'est super important.

— J'envoie ça à qui exactement ?

— À tout le monde ! Et je te conseille de ne jamais oublier, sinon c'est l'incident diplomatique garanti. Mets une alarme sur ton ordi pour y penser.

— Merci de m'avoir prévenue, William ne m'a pas encore briefée, il a eu trop de rendez-vous.

— Il va falloir t'y habituer : avec lui, ce sera tout le temps comme ça.

Alors qu'elle retourne à sa place, je me torture les méninges. La « grille des programmes » ? Qu'est-ce que c'est que ce truc ? Je fais une recherche dans mon Mac… en vain. Si j'osais, j'irais interroger Saskia. Mais j'ai peur. Heureusement, il me vient une illumination de génie… Je cours acheter *Télé 7 Jours* à la librairie et photocopie les pages de programmes en cinquante exemplaires. Et hop, je les range dans des petites pochettes avec la date sur une étiquette. Comme à l'école, en mieux. Je pose un dossier sur chaque bureau à l'heure du déjeuner. Entre les castings et ça, je me débrouille plutôt bien pour une nouvelle dont personne ne s'occupe. Je suis tellement contente que je n'ai même pas faim. Je retourne derrière mon ordi et j'attends avec impatience le retour de mes collègues. J'ai hâte de voir leur tête en découvrant leur petite pochette.

Statut Facebook : Trop contente de moi.

C'est Carine qui arrive en premier, un sac H&M à la main. Elle prend la pochette, l'ouvre et se met à râler.

— C'est quoi encore ? Qu'est-ce qu'il faut qu'on fasse avec ça ?

— C'est Saskia qui m'a dit que vous aviez besoin de la grille des programmes le mercredi.

Elle éclate de rire, comme si je venais de lui sortir une vanne de Florence Foresti. Aïe. J'ai dû faire une bourde.

— Mais pas la grille des programmes de *Télé 7 Jours* !

— Bah, c'est quoi alors ?

— Un tableau Excel avec NOS programmes sur quatre semaines d'avance. Ça permet à tout le monde de s'organiser pour les jours à venir. Ils sont dans ton ordi, mais s'appellent Teen TV Grille.

En effet, je trouve ce document avec des cases de toutes les couleurs, des titres d'émissions, des horaires, un vrai bazar totalement opaque pour mon pauvre cerveau.

— Mais je fais quoi avec ça ?

— Tu le mets à jour ! Tu ajoutes une semaine au calendrier avec les numéros des épisodes qui seront diffusés dans un mois, les émissions spéciales, les concerts et tout ça. Mais tu ne pourras pas t'y atteler sans William !

— Et pourquoi il y a plein de couleurs ? C'est incompréhensible !

— Ça nous permet de savoir si c'est en français ou en anglais sous-titré, si ça fait partie d'un *deal marketing*, si c'est une première diffusion ou une rediffusion…

— C'est la cata : j'ai mis un dossier sur chaque bureau ! Il faut que je les récupère avant de passer pour la dernière des gourdes.

Statut Facebook : Du grand n'importe quoi, Marion.

Trop tard. Plusieurs personnes sont déjà rentrées ; elles tentent de comprendre à quoi sert ce truc sur leur bureau. Je leur présente mes excuses, réponds « Je suis dessus » à tous ceux qui me rappellent qu'aujourd'hui « il leur faut les *vraies* grilles de programmes », et ramasse mon œuvre que je descends à la poubelle sur le trottoir, tellement j'ai honte. Prise en flag, je croise William.

— Qu'est-ce que tu fabriques, Marion ?

— Je… eh bien, je jette mon sac de déjeuner qui sent le rat crevé, c'est… c'est plus sympa pour les autres.

— Alors, le casting, tu en es où ?

— Trois personnes sont intéressées. J'ai inscrit les rendez-vous dans ton agenda.

— Ah ouais. Finalement, j'ai réfléchi, annule-moi tout ça. Je ne veux pas d'une animatrice en ce moment, j'aurai pas le temps de m'en occuper. Je monte envoyer les grilles, j'ai l'aprèm blindée de réunions. O-ver-boo-ké.

Nous partageons l'ascenseur, je retiens un rire en voyant son casque de moto tout en bouillonnant de colère. Ce type me teste. Soit il veut que je démissionne, soit il adore me martyriser pour rien. Dans les deux cas, j'ai envie de lui demander la marque de sa moto, histoire qu'il comprenne que je ne suis pas une quiche aux poireaux. Accroche-toi mon pote, je ne partirai pas d'ici à moins qu'on ne m'y oblige, et ce ne sont pas tes petits challenges qui me feront craquer.

— Il faudrait que tu m'expliques comment fonctionnent ces fameuses grilles des programmes, sinon je ne pourrai pas les distribuer en temps et en heure. Quand tu auras deux minutes, bien sûr.

— Pour l'instant, je m'en occupe. Au fait… demain, c'est l'anniversaire de la femme de Bernard, le patron de la chaîne. Je n'ai pas une seconde pour lui acheter un cadeau, tu t'en doutes. Trouve-lui donc un truc original, pas cher mais qui fasse luxueux, unique et à la mode. Ne te plante pas, ce n'est pas le genre de sujet avec lequel Bernard rigole. Pose-le sur mon bureau, je passerai le chercher demain.

— Elle a quel âge ?

— On s'en fout de son âge ! Moi, ce que je veux, c'est qu'en ouvrant son cadeau elle ne se souvienne même plus depuis combien d'années elle est sur terre. Tu piges ?

— OK. Quel budget ?

— Débrouille-toi, faut que ça claque.

Statut Facebook : Dans la merde.

J'ai besoin d'une idée, là, tout de suite, maintenant. Un cadeau pour une femme que je ne connais pas mais qui a épousé mon patron. Et j'ai jusqu'à demain. Trop facile. Surtout avec les copines aux abonnées absentes. Pourtant, j'ai peut-être une carte à jouer… Je décroche mon téléphone.

— Milou, c'est Marion. Ça va ?

37

Milou est la sœur de Vincent, je l'ai toujours connue *speed*. Depuis qu'elle travaille chez un créateur de bijoux, ça ne s'est pas arrangé.

— Oui, mais je suis super *speed*. On prépare la nouvelle collection, c'est la folie si tu vois ce que je veux dire…

— Justement, je ne te cache pas que c'est ton job qui m'intéresse aujourd'hui. Je dois dégoter en urgence un cadeau d'anniversaire pour la femme de mon patron. J'ignore tout d'elle, mais je suppose qu'elle est belle, plus jeune que lui, et qu'elle n'a qu'à claquer des doigts pour choper une paire de Louboutin. Une idée dans ton cerveau de génie ?

— Tu as vraiment du bol ! Figure-toi que j'organise un concours-radio : on fait gagner des bagues qui valent une blinde. Le genre de truc que les femmes portaient dans *Dynastie*, avec un caillou énorme. Les auditeurs doivent envoyer des textos, et devine qui s'occupe du tirage au sort ?

— Tu ferais ça pour moi ? Tu es sûre que tu ne risques rien ?

— Il faut juste que tu adresses un texto au numéro que je vais t'indiquer. La radio est tellement radine que c'est nous qui expédions les bagues, du coup je gère aussi le stock. Si je t'envoie une bague par coursier, ils n'y verront que du feu.

— Je ne sais pas quoi te dire, Milou. Tu me sauves la vie. Je te dois un super dîner.

— C'est normal, tu ferais pareil pour moi, non ? Alors, comment se passe ton taf ? Pas trop durs, les débuts ?

— Bof. Heureusement que ton frère recolle les morceaux en fin de journée.

— S'il était aussi gentil avec sa sœur, celui-là... Bon, envoie-moi ton texto et je lance le coursier. Tu me diras si ça a fait son effet. Bisous, miss.

— Bisous, bisous et bisous. Merci encore.

Une fois que j'ai raccroché, je suis prise d'un mini cas de conscience. C'est de la triche, cette histoire. Bah, tant pis, je n'ai pas le choix. Trop contente de ma trouvaille, j'envoie le texto et me précipite dans les toilettes pour effectuer une petite danse de la victoire. Enfin un truc qui se déroule correctement ! Je me sens même d'attaque pour satisfaire les caprices sadiques de William et annuler les castings de la veille. Bien sûr, j'encaisse la déception des trois filles qui comptaient sur cette émission pour booster leurs carrières minables. Mais après tout... je voudrais les voir à ma place deux minutes, qu'on rigole. Chacun ses problèmes.

5

Statut Facebook : J'assure, sur la mesure.

Au moment où je recommençais à m'ennuyer, j'entends des voix dans le couloir. Presque aussitôt, quatre mecs débarquent. Très à l'aise, ils disent bonjour à tout le monde, me remarquent à peine. L'un d'eux — le plus grand — se met à hurler :

— Salut les nazes, la pub a encore frappé ! On vient de rapporter de quoi payer vos salaires pendant les six prochains mois. Vous nous remercierez un autre jour. Les filles, le bureau est ouvert pour vos offrandes en nature. Les mecs, une bière suffira.

Arrogant, vulgaire, misogyne, cet énergumène blindé de testostérone est tout simplement… sublime. Un mélange magnétique de Jared Leto et de Wentworth Miller (oui, oui, ça existe). Je frémis en le regardant repartir et jette un coup d'œil sur son arrière-train au passage. Ça fait longtemps que je n'ai pas eu de petit copain, et les poils qui se dressent le long de mon bras me le rappellent. Me voilà tout sourire. J'en oublierais presque mes malheurs.

En état de transe lubrique, je décide d'aller me présenter à cette brillante équipe qui ne me connaît pas encore. Tournant le dos à l'*open space*, je longe le couloir, frappe à leur porte et entre sans attendre la réponse.

— Bonjour, je suis Marion, la nouvelle assistante de William. Je me permets de vous déranger pour me présenter et connaître vos prénoms, histoire de m'y retrouver.

— Tu travailles avec William ? Ma pauvre, j'espère que tu es prête à souffrir !

Celui qui vient de me répondre est celui que j'avais repéré. C'est le meneur de la troupe — ça me plaît encore plus. Et pour une fois que ma timidité ne me pourrit pas la vie, j'en profite : je lui souris.

— Moi, c'est Greg, dit-il. Voilà Benjamin, Jérôme et Raph.

La pub, c'est un métier d'homme, pas de fille parmi nous, comme tu peux le voir. Une fois tous les six mois, on fait une compète entre nous pour voir qui vendra le plus d'espaces pub en un temps record. La douce musique du tiroir-caisse, c'est notre son préféré.

Ce mec est odieux. Pourquoi je ne quitte pas son bureau à l'instant ? Mystère.

— Tu n'as pas fini de nous voir, poursuit-il. On va venir te forcer la main pour diffuser nos pubs aux meilleurs horaires et caser des partenariats pourris mais qui rapportent beaucoup d'argent, donc tu as de la chance, on va être doux comme des agneaux avec toi.

Les trois mousquetaires et leur chef portent tous une barbe de quatre jours, ça doit être obligatoire pour ce boulot. Benj est en costard, et je constaterai bientôt que c'est une habitude chez lui. Je parie qu'il en porte même le week-end. Il me rappelle les acteurs de *Mad Men* : pas un cheveu qui dépasse, yeux marron surlignés de sourcils épilés, je soupçonne une légère couche de fond de teint. Jérôme a la trentaine mais avec ses dents jaunes, il en paraît dix de plus. Visiblement, il fait des efforts désespérés pour avoir l'air cool : baskets dorées, slim de marque, T-shirt à 180 euros, genre pièce unique signée par un graphiste tendance à mort… Raph court aussi après la hype, mais avec un look copié/collé sur la dernière campagne The Kooples. Il a les cheveux longs en mode surfeur, le teint hâlé, les pommettes saillantes — sûrement à force de sourire à des clients insupportables. Il doit même le faire au téléphone, au cas où ça s'entendrait à l'autre bout du fil.

— Ah ! OK, marmonné-je, n'ayant pas vraiment de question à poser. Je vais vous laisser bosser. Donc moi, c'est Marion.

— Tu l'as déjà dit.

— Ah oui. Pardon.

J'espère que je ne suis pas trop rouge quand je traverse le couloir dans l'autre sens pour rejoindre mon bureau. D'après le regard de Saskia, je crains que oui.

— Ah… la pub. Ils les auront toutes. Méfie-toi, ce sont des beaux parleurs, mais surtout des connards. Crois-en mon expérience, ça fait sept ans que je suis là.

— Tu fais quoi déjà comme boulot ?

— Chargée de production. Chaque fois qu'on fait un *shooting*, c'est moi qui gère la logistique. Les locations de matos, les hôtels, les restos, l'argent de poche, les salaires des pigistes et des intermittents. Je suis comme leur mère, il n'y en a pas un qui ose m'emmerder. Je leur fais peur et ça m'arrange.

— Je dois avoir peur de toi, moi aussi ?

— On verra.

Comme je n'arrive pas à savoir si elle plaisante, je préfère prétendre regarder un truc d'une haute importance sur mon écran d'ordi, alors qu'en fait :

 Statut Facebook :
Coup de foudreeeee !!!

Tandis que je m'apprête à mettre les voiles, William débarque. Il est totalement essoufflé.

— Tu as trouvé le cadeau ?

— Tu me l'as demandé il y a deux heures !

— Tu l'as trouvé ou non ?

— Oui, il arrive par coursier.

— Un coursier ? Tu ne pouvais pas aller le chercher ? Enfin, on s'en fout. Rentre préparer ta valise, tu pars demain matin pour deux jours à Munich.

— Hein ? Pour quoi faire ?

— Tu vas aux Teen TV Awards !

— Aux Teen… ? Tu veux dire la cérémonie la plus énorme d'Europe ? LE rendez-vous annuel de toutes les stars de la terre ? J'en ai toujours rêvé !

43

— Tu me raconteras ta vie une autre fois. Tu pars en tant qu'accompagnatrice : les organisateurs vont t'assigner une star dont tu devras t'occuper. Ce n'est pas le boulot le plus dur du monde, sauf que l'émission est en direct. Tu n'as donc pas le droit de te planter. Sinon tu es virée sur-le-champ. Je ne rigole pas.

Je n'en crois pas mes oreilles. Moi, Marion, je vais participer aux Teen TV Awards ? Je vais voir des stars et des backstages ? C'est fou. Tellement fou que je n'ai pas du tout envie d'y aller. Trop peur.

— Mais pourquoi moi ? Je viens d'arriver !

— Normalement, c'est le responsable de la musique qui y va, mais je l'ai viré, et j'avais oublié qu'il me fallait quelqu'un. Tout le monde a du boulot, et toi tu glandes… ça te mettra dans le bain, on va enfin voir ce que tu as dans le ventre.

— OK, je pars demain.

— Je te préviens, là-bas, c'est « marche ou crève ». Comme tu me représentes sur place, il faut que tu sois impeccable. Sans quoi, pas la peine de revenir. Tu peux déjà te chercher un appart à Munich.

Il sait motiver ses troupes, lui.

— Au fait, Marion, tu nous as bien dit que tu étais bilingue ? C'est une cérémonie internationale, tu sais, tout se fait en anglais là-bas. J'espère que tu ne nous as pas menti sur ton niveau ?

— Euh… non. Bien sûr que non ! Je parle par… parfaitement anglais.

J'ai rougi. Je suis sûre que j'ai rougi. Quand il me parle comme ça, j'ai l'impression d'être coupable. De quoi, je ne sais pas. Mais je me sens coupable.

— Bon… Saskia se chargera des formalités de voyage, je me casse.

Pas « merci ». Pas « bon courage ». Rien. Un vrai goujat. Saskia, qui a tout entendu, me regarde avec empathie.

— Je réserve ton billet d'avion et ton hôtel tout de suite. Va préparer ton sac, je te ferai porter les billets et le *voucher* pour l'hôtel. Et couche-toi tôt, j'ai accompli la même mission il y a deux ans, c'est un cauchemar.

— C'est quoi, un *voucher* ?

— Faut tout t'expliquer, hein ? C'est la confirmation de ta réservation de chambre. Tu le présentes quand tu arrives, et tu ne paies rien.

— Cool. Merci, Saskia.

— C'est la guerre là-bas. Les plus forts tiennent, les autres dégagent.

— Comme c'est rassurant. Allez, bye !

Avant de rentrer chez moi, je file chez le coiffeur et m'offre une récompense en prévision de l'épreuve à venir : une frange.

Cette fois, ça y est, je suis *hype*.

Statut Facebook : En route pour Munich !

Vers 20 h 30, alors que j'examine ma nouvelle coiffure, en passant tour à tour du « Mais qu'est-ce que j'ai fait comme connerie ? » au « Mais pourquoi je ne l'ai pas fait avant ? », le coursier sonne, m'apportant tout le nécessaire pour mon périple munichois.

Dans l'enveloppe, il y a ma « feuille de route » avec ce que je dois faire, à quelle heure, qui je dois contacter et à quel numéro. C'est à peine si on ne m'indique pas les horaires pour les toilettes. Pourtant, j'adore ce petit papier qui me donne l'impression d'être une vraie star dotée d'un planning de folie. Il y a aussi mes billets d'avion, le fameux *voucher* et un peu d'argent pour payer mes taxis (accompagné d'un énorme post-it de Saskia : « N'oublie pas les factures ! »).

Enfin, un gros dossier rédigé en anglais m'explique mes tâches pendant la cérémonie. Voilà, j'y suis vraiment, de l'autre côté de la barrière.

Pour faire retomber la pression, je me plonge dans un bon bain, avec la BO de *Gossip Girl* dans les oreilles et un Coca light en équilibre sur le rebord de la baignoire. Je sens que je vais vivre l'expérience la plus excitante de ma vie, et je maudis mes copines de ne pas me laisser le plaisir de le partager avec elles. En même temps, j'aurais été jalouse à mort si l'une d'elles avait été à ma place.

Les noms des stars tournent dans ma tête. De qui vais-je m'occuper : Johnny Depp ? Marilyn Manson ? Madonna ? Kanye West ? Beyoncé ? Lady Gaga ? Qui ?

À force de ne pas trouver la réponse, je sors de l'eau à 23 heures, toute fripée et à moitié congelée. Pas encore dîné, pas de valise prête, rien de prévu pour gérer Muffin-le-cochon-d'Inde-dépressif, il faut que je m'active.

Mon sauveur, Vincent, arrive une demi-heure plus tard avec des sushis et des vêtements pour squatter chez moi jusqu'à mon retour. C'est lui qui surveillera ma bestiole pendant mon absence. Ma mission le rend encore plus hystérique que moi.

— Et si tu avais Mika ? Ou Kylie ! Ou Rihanna ! Tu me préviens dès que tu sais, tu ne me laisses pas attendre comme ça tout seul, je vais devenir fou.

— Je t'enverrai un texto, ça fera plus sérieux, sinon ils vont croire que j'appelle mes parents pour les rassurer. Je ne pars pas en colo, il faut que j'aie l'air au top.

— En parlant d'être au top, je savais bien qu'une frange t'irait. J'adore.

Au chaud sous ma couette, nous nous endormons après avoir concocté une valise parfaite, avec au moins trois tenues (pour deux jours), un *vanity* de maquillage et trois paires de chaussures.

6

Statut Facebook :
Munich ta mère !

J'avais tout prévu, sauf le froid. Un froid de canard. On l'ignore souvent, mais l'Allemagne, c'est l'Alaska. Mes trois tenues sont donc portées en une fois, dans un empilage de vêtements disparates. Peu importe, aujourd'hui ce sont les répétitions, je serai belle demain — sauf s'il fait plus froid. Dans ma chambre d'hôtel, j'attends sagement ma *roommate* surprise, une Italienne qui s'appelle Silvia. Elle arrive en petite jupe et veste d'été — je me demande comment elle fait pour ne pas claquer des dents. On se présente rapidement, et tous les accompagnateurs (une bonne cinquantaine) se retrouvent dans le hall. Nous sommes accueillis par une Anglaise survoltée qui nous demande de nous rassembler en silence tout en nous hurlant dessus. Elle exige aussi que nous ayons nos passeports à la main et nos prénoms collés sur le pull, histoire de se reconnaître. Finalement, je suis peut-être en colo.

— Je m'appelle Kitty et je suis votre chef jusqu'à la fin de la cérémonie. Si vous avez un problème, venez me voir. Si vous faites une connerie, venez me voir. Et si vous perdez votre artiste, venez me voir, et je vous coupe la tête. Vous pensez que ça va être *fun* d'être entourés de stars, mais vous vous trompez. Les artistes sont des enfants. Ils font tout, sauf ce qu'on leur demande. Restez polis, serviables, corvéables mais fermes. J'aurai un rapport de leurs agents sur chacun d'entre vous, et ils ne font pas de cadeaux. Interdiction de prendre des photos, demander des autographes, jouer au fan ou devenir pote avec Eminem. Si vous manquez les assignements de votre artiste, vous foutez la soirée en l'air. Il y a des millions d'euros en jeu, des investissements publicitaires énormes et les patrons de toutes les filiales de la chaîne ont invité leurs meilleurs clients. Je veux donc que tout soit parfait. C'est clair ?

Un petit « *yes* » se fait entendre, mais alors vraiment petit.

— Je pense que vous êtes sourds ou bêtes. Ai-je été claire ?

— *YES !*

— Voilà. Maintenant suivez-moi, je vous emmène au stade où aura lieu le show. C'est à cinq minutes à pied. Il faut traverser un parc un peu glauque… Ne le faites pas seuls, restez groupés.

Et nous voilà partis, comme des moutons vers un champ à brouter. Je suis la seule Française du troupeau. Je ne trouve déjà plus Silvia, mais je repère un super beau blond à qui je lance un regard qui tue, genre « T'as vu, j'ai une frange, grrrrr ». Pour le moment, il s'en fout, mais je n'ai pas dit mon dernier grrrrr.

Après non pas cinq mais quinze minutes de marche dans ce qui ressemble au repaire officiel des toxicomanes de Munich, nous arrivons à l'endroit de nos rêves : des décors, des projecteurs, des écrans plasma gigantesques, des lustres, des plates-formes qui montent et descendent, et au moins deux kilomètres de tapis rouge encore recouvert de plastique. Des centaines de gens courent dans les couloirs, dont l'un mène à la scène. Je suis… éblouie. Comment vais-je parvenir à me repérer ? Me fier à mes oreilles peut-être, j'entends déjà de la musique… Je regarde plus attentivement la scène : Amy Winehouse est en train de répéter. La vraie. Avec sa perruque, ses tatouages, ses dents en moins, son air imbibé d'alcool, tout. J'hallucine.

Kitty nous dirige vers une salle où chaque *escort* va récupérer, à tour de rôle, une enveloppe avec le nom de la personne qu'il va baby-sitter, son planning, ses bracelets VIP et des indications vitales pour éviter les gaffes : « Ne pas s'adresser à Untel sans dire monsieur avant », « Ne pas l'autoriser à boire plus de quatre alcools forts », « Ne pas le laisser approcher Avril Lavigne », « Rire de ses blagues ». J'attends d'être appelée, tout en écoutant la liste des stars présentes : de Justin Timberlake à Britney Spears en passant par Japan Motel, Edward Norton, Scarlett Johansson, tout le monde est là. Mes jambes tremblent quand j'entends le nom magique : Robert Pattinson. Lui aussi ? Je ne sais pas si je vais survivre à ces deux jours.

Mon tour arrive enfin, j'ouvre fébrilement mon enveloppe : j'ai gagné... Michael Mitch, le batteur du groupe Petallica ! Connu pour être colérique, imbuvable, misogyne — et bien plus petit que moi. Ce qui risque de paraître ridicule, mais ça m'est bien égal. Michael Mitch doit remettre un prix au groupe rock de l'année, choisi par les téléspectateurs européens. Mon package contient aussi un T-shirt à l'effigie de la chaîne (port obligatoire pour se reconnaître entre nous), un pass noir me donnant accès à tous les recoins du stade (il faut que je puisse accompagner Michael Mitch partout), un plan et un talkie-walkie. C'est la surprise de la chef. Non seulement on ne parle qu'anglais, mais en plus, avec un talkie. Je n'en ai, évidemment, jamais manipulé de ma vie.

Statut Facebook : C'est officiel, je flippe.

Kitty reprend son discours de colonel, en nous regardant de plus haut encore. Elle va finir par nous perdre de vue.

— Vous devez apprendre le B.A.-BA du talkie. Ce n'est pas un téléphone, il ne sert pas à raconter vos vies. Utilisez-le au minimum parce qu'on est nombreux sur la même fréquence. Faites attention à ce que le bouton « Speak » ne soit pas activé pendant que vous pissez, sinon tout le monde en profitera. Soyez attentifs à tout ce que vous entendrez dans le talkie. Et si on appelle quelqu'un qui ne répond pas, repérez-le

51

pour l'alerter. Ici, on n'a pas le temps de perdre du temps.

Je me demande si je suis faite pour cette mission. J'ai l'impression de participer à une émission de télé-réalité, où chaque faux pas mérite un coup de fouet.

— Mettez tous vos casques de talkie, je vais vous donner un cours express. Quand vous vous adressez à quelqu'un, allez au plus rapide. Je dirai par exemple : « Kitty pour Sally. » Sally me répondra alors « Sally pour Kitty » pour confirmer qu'elle écoute. Ça n'a l'air de rien, mais vous ferez moins les malins demain. Une fois que le message est transmis, signalez-le en disant « *Over* » (« Terminé »). Et pour dire que vous avez pigé, répondez « *Copy that* » (« C'est entendu »). J'exige que vous utilisiez ce langage, sinon on ne va pas s'en sortir.

Me voilà dans la peau de Jack Bauer, ce qui m'amuse puisque je n'ai pas loupé un seul épisode de *24 Heures Chrono*. Je connais ce langage par cœur. Ma chère Kitty, tu ne m'auras pas sur ce coup-là, la petite Française a plus d'un tour dans ses Converse.

— Vous avez une demi-heure pour repérer la loge de votre artiste, et les couloirs pour l'accompagner aux toilettes, au *catering* et, surtout, sur scène. Vous devez connaître cet endroit comme votre poche. Mieux que votre poche même. Demain, ça va être panique à bord. Tout le monde va courir dans tous les sens, et vous aurez très peu de temps pour vous rendre d'un point à l'autre. Go !

La bonne nouvelle, c'est que je comprends tout ce qu'elle dit. Finalement, mon anglais tient la route. Je suis un groupe de filles qui a l'air cool, et nous parcourons des enchevêtrements de bureaux, loges, couloirs, salles de presse, en marchant sur des dizaines de câbles qui traînent. Dans le coin super VIP, je vois des stands de massage et de manucure, avec des bougies, de l'encens, des fleurs. Je trouve la loge de Michael Mitch et y jette un coup d'œil : elle est pleine à craquer de cadeaux. Des fringues, des consoles de jeux, un iPhone, des paires de baskets customisées, des DVD... C'est déjà Noël. Je referme la porte à clé et la remets dans mon enveloppe, me jurant que si je perds quelque chose entre aujourd'hui et demain soir, ce ne sera pas cette clé. Je préfère encore me casser les genoux. Ou perdre toutes mes dents. Ou que mon appart brûle mais que Vincent ait quand même le temps de sauver Muffin et ma collec de DVD de séries. Cette clé, c'est le Saint Graal. Si je la perds, je suis morte.

Cinquante minutes plus tard, j'arrive enfin au point de rendez-vous après m'être perdue trois fois. Je ne suis pas la seule. La moitié du groupe s'est égarée, c'est le chaos dans les talkies. Il faudra plus d'une heure et demie pour nous rassembler et nous envoyer au self-service. À notre arrivée, le dîner est déjà servi, les cuisiniers n'attendent plus que nous derrière les guichets. Ça tombe bien, je meurs de faim. Tout a l'air délicieux, mais comme je ne veux pas passer pour une goinfre, je me contente d'une salade et d'une pomme.

Je vais gargouiller toute la nuit, mais tant pis. Mon honneur est en jeu. Seconde bonne nouvelle : le Coca light est à volonté.

Comme Kitty a compris que nous étions tous paumés, elle nous octroie généreusement une heure supplémentaire pour un nouveau tour du lieu. En sortant des toilettes, je croise le chanteur de Japan Motel, un extraterrestre entouré de quatre gardes du corps. Le mec fait au moins 1,95 m, il les domine tous d'une tête. Faussement stoïque, je le laisse passer sans lever les sourcils et m'éloigne de mon côté, comme si tout était normal. Je n'ose pas imaginer la journée de demain.

De retour au front, notre cheftaine nous conseille de rejoindre nos chambres, nous reposer, réviser le plan du stade jusqu'à ce qu'on soit complètement opérationnels et dormir tôt. Nous retraversons cet horrible parc, encore plus flippant à la nuit tombée, et je m'écroule sur mon lit. Silvia, ma coloc, a l'air en pleine forme.

— Ça fait quatre années consécutives que je suis nounou de star, je suis rodée. On va se bourrer la gueule avec un groupe d'habitués, tu nous suis ?

— Euh, non. J'ai mal dormi cette nuit, je crois que je vais faire ma feignasse. Mais amusez-vous bien !

— Comme tu veux. Je ne ferai pas trop de bruit en rentrant.

54

Statut Facebook : Si la journée de demain se passe bien, je me mange une main.

Dès qu'elle a passé la porte, je me précipite sur ma valise pour ingurgiter deux boîtes de Délichoc et les trois Coca light du minibar ; puis j'appelle rapidement Vincent et mes parents, pour dire que tout va bien. Vincent est déçu que je ne m'occupe pas de Madonna ou d'une énorme star, mais, vu mon stress, je suis satisfaite de mon batteur nain. Un bain et un demi-somnifère plus tard, me voilà assoupie jusqu'au retour de Silvia, à 3 h 30. Totalement bourrée. Elle a vomi avant de s'endormir lamentablement sur le sol de la salle de bains. Je décide de la laisser se débrouiller, ça lui apprendra à se la raconter. La routine, les Teen TV Awards ? Pas pour tout le monde, apparemment.

7

Statut Facebook : Ça va saigner, aujourd'hui je vais sauver le Soldat Ryan. Ou pas.

8 heures. Mon réveil est plus facile que celui de Silvia, dont la nuit commençait à peine quand l'alarme a sonné. Une fois maquillées, pomponnées et habillées comme deux princesses, nous pouvons décoller pour nous rendre au stade où le petit déjeuner nous attend.

10 h 30. Après avoir traversé le parc des *serial killers*, je repère le beau blond qui a résisté à ma nouvelle frange (grrrrr) et qui déjeune tout seul.

— Salut, je suis Marion, de France. Over.

Ma blague en langage « talkie » ne prend pas. Mais il me répond, c'est déjà ça.

— Sven, Pays-Bas. *Escort* de Justin Bieber pour la journée. Baby-sitter quoi.

— Ça n'a pas l'air de t'enchanter ! Moi, je vais m'occuper de Michael Mitch.

Il s'étouffe presque avec son café.

— C'est toi qui as eu Michael Mitch ? Mais je suis archifan de Black Forrest ! Je suis dégoûté. C'est trop injuste qu'une nana qui ne connaît visiblement rien au rock gère un tel artiste. Pfff...

Et il part, en m'abandonnant à mon bol de muesli.

Comment ça, « je ne connais rien au rock » ? Non, mais qu'est-ce qu'il en sait, celui-là ? Et mes heures passées devant des clips bourrés de riffs de guitare ? Et Nirvana ? Marilyn Manson ? Pearl Jam ? Slipknot, c'est du André Rieu ? Il m'a mise sur les nerfs, je le barre de ma liste de *targets* potentielles.

Histoire de me calmer, je décide de refaire le tour du propriétaire. Michael, *mon* Michael Mitch, ne devrait pas tarder à arriver. Un coup d'œil à son emploi du temps :

15 h 20 : répétition.

16 heures : maquillage.

19 heures : dîner.

21 h 58 : remise du Teen TV Awards dans la catégorie groupe rock de l'année.

On devrait s'en sortir.

14 heures. J'ai fait tellement d'allers-retours que je n'ai pas vu le temps passer. Concentrée sur mon talkie, j'entends soudain qu'on m'appelle pour accueillir mon protégé. Je me rue à l'entrée VIP... Où est-il, mais où est-il ?

En baissant les yeux, je finis par l'apercevoir. C'est vrai qu'il est petit malgré ses bottes à semelles compensées. Mais impossible de le rater : il a une baguette de batterie dans chaque main — qu'il ne lâche pas quand je tends la mienne pour lui dire bonjour. Il tape nerveusement sur tout ce qui passe :

ses genoux, le dos de la personne devant lui, les murs, les portes. C'est vite agaçant. Il est accompagné d'une blonde ultra-vulgaire qui se présente comme son assistante personnelle (sa *P.A.*, c'est beaucoup plus classe en anglais abrégé).

14 h 40. Michael s'arrête tous les dix mètres pour sauter au cou des artistes qu'il connaît. Comme toutes les autres stars en font autant, le bazar est considérable : c'est à celui qui connaît le plus de monde et le fait savoir le plus fort. Une véritable course aux poignées de main, étreintes et sourires hypocrites.

Je finis par le déposer à sa loge au bout d'une bonne demi-heure avec l'intention de le laisser découvrir ses cadeaux. J'ai déjà repéré un tabouret haut perché qui devrait me permettre de surveiller tranquillement les alentours… Mais à peine assis, Michael extirpe de sa poche un énorme paquet de sachets de thé tout emmêlés qu'il me tend.

— Je sors d'une cure de désintox. Il me faut un thé par heure, sinon je pète les plombs. Et j'en veux un, maintenant.

Après le thé de William, le thé de Mitch. Je serais destinée à jouer à la serveuse jusqu'à la fin de mes jours ?

Je cours lui chercher un gobelet d'eau chaude, j'y plonge un sachet, ajoute du sucre, une touillette, puis je reviens au pas de course. Je frappe à la porte une fois… deux fois… Tant pis, j'ouvre… et je referme.

Mes deux nouveaux amis étaient en train de s'embrasser à pleine bouche. Visiblement, ils se fichent que je les aie vus. Ils n'ont même pas relevé la tête. Je suppose que je ne suis pour eux qu'un toutou bien dressé, autant dire un être invisible. Devant la loge, le tabouret m'attend toujours. Je m'assieds et, tant que j'y suis, je bois le thé de Michael. La journée va être longue. Très longue.

15 h 10. Je propose à Michael Mitch d'aller répéter sa remise de prix, mais il n'est pas motivé. Au bout d'un quart d'heure de négo, il finit pourtant par accepter, à condition de faire une pause-pipi. Accordé.

— *Marion pour Kitty.*
— *Kitty pour Marion.*
— *Aurai dix minutes de retard avec Michael Mitch pour répétition. Over.*
— *Copy that. Que ça ne se reproduise pas.*

Bien sûr, tous les autres *escorts* ont entendu sa pique dans le talkie.

Aux toilettes, Michael prend tout son temps. Résultat : il arrive sur scène avec vingt minutes de retard. Une assistante se précipite pour lui donner le texte qu'il lira tout à l'heure en public. Michael le parcourt des yeux... Avant même qu'il ouvre la bouche, nous savons ce qu'il va dire : « NUL ! Ce truc est NUL ! Vous ne croyez quand même pas que je vais débiter ces conneries ? »

— *Marion pour Kitty.*
— *Kitty pour Marion.*

59

— *Besoin de changer le texte de Michael Mitch. Over.*

— *Copy that. Un auteur arrive dans sa loge dans cinq minutes. Over.*

15 h 45. Retour à la case départ où Michael m'annonce que c'est déjà l'heure du thé. Le temps d'aller chercher de l'eau, un scribe arrive pour modifier le texte à la convenance de mon artiste, qui fête ça avec un roulement de baguettes sur la porte, réveillant Snoop Dogg, assoupi dans la loge d'à côté.

Mitch étant de bonne humeur, j'en profite pour lui annoncer qu'une maquilleuse sera à sa disposition dans un quart d'heure. Aussitôt, ses yeux s'injectent de sang.

— Quoi ? Une maquilleuse ? Mais tu me prends pour qui ? Beyoncé ? Je fais du rock moi, je suis *roots*, je ne vais pas me coller du fond de teint sur la tronche ! Allez, dégage de là, tu m'énerves.

— *Marion pour Kitty.*
— *Kitty pour Marion.*
— *Michael Mitch, pas de maquillage. Over.*
— *Obligatoire. Over.*
— *Il ne veut pas. Over.*
— *Pas le choix. Over.*
— *Copy that.*

Bon. Il faut trouver une solution. Je me souviens que Saskia a déjà subi les Teen TV Awards et m'autorise un joker en lui téléphonant. Après tout, si son numéro figure sur ma feuille de route, c'est pour l'utiliser. Elle décroche tout de suite, à peine étonnée, et me demande directement quel est mon problème.

— Mon artiste ne veut pas passer au maquillage. Il a l'air de penser qu'il est trop viril pour ça. Mais il paraît que c'est obligatoire. Je ne vais quand même pas le traîner de force ?

— Non, tu vas juste lui expliquer que tout le monde y passe et que, s'il ne le fait pas, il sera le seul moche de la soirée. Dis-lui que c'est pour son bien. En cas de refus, tu hausses le ton. OK ?

— OK Sas, merci. Désolée de t'avoir dérangée.

— En fait, je pensais que tu m'appellerais plus tôt. T'inquiète pas, ça ne va pas être une partie de plaisir, mais on en est tous revenus vivants.

— J'ai quand même mis mon testament à jour avant de partir. Merci encore.

16 heures.

— Monsieur Mitch, ce serait vraiment aimable d'accepter de passer au maquillage. Vous allez rencontrer vos fans, et ça me ferait mal qu'une star de votre envergure ne soit pas à son avantage pour une bête histoire de fond de teint. Ce sera très léger. Même Eminem se fait maquiller avant les séances photos.

— OK, gamine. Mais elle n'a pas intérêt à me foirer, ta maquilleuse.

— Promis, monsieur Mitch.

16 h 30. Le make-up est discret. Manque de chance, maintenant Mitch a faim. Il va bousiller tout le travail

de la pauvre maquilleuse, mais comment lui refuser de manger ? Je l'accompagne donc au *catering* VIP, où je n'ai pas le droit d'entrer, et j'attends devant la porte.

17 heures. Il déboule et exige que je l'accompagne aux toilettes. Pas étonnant avec tout le thé qu'il avale. Son haleine sent l'alcool, j'ai un gros doute sur le succès de sa désintox. Pas mon problème. De retour au *catering*, je chope de l'eau chaude, car Monsieur ne boit que ses sachets de thé perso.

18 heures. Cela fait une heure que je n'ai pas eu de nouvelles de mon batteur préféré quand il ressort du *catering* avec un œil au beurre noir.
— Faut que je retourne au maquillage.
— Tout de suite. Un problème ?
— Quel problème ? Y a pas de problème ! Je suis un rocker, merde. C'est un rappeur sur qui j'ai vaguement fait de la batterie qui a perdu son sang-froid.

— *Marion pour Kitty.*
— *Kitty pour Marion.*
— *Besoin créneau maquillage pour Michael Mitch. Over.*
— *Faudrait savoir. Go. Over.*

62

Statut Facebook :
Les ennuis continuent.

J'ai mal au crâne. Dans mes oreilles, c'est un flot continu de demandes, de réprimandes, de star-sitters qui cherchent leur artiste, de gens en retard… Éreintant.

18 h 20. L'œil au beurre noir est camouflé, mais pas l'odeur de bière de Mitch, que je traîne dans sa loge pour qu'il dégrise. Je prépare son thé et implore sa pouf/*P.A.* de rester avec lui pour éviter une autre catastrophe. Elle me fait signe que oui, et je sors, m'accordant une pause minuscule.

18 h 30. Retour en loge. Mitch et sa comparse ont disparu.
— *Marion pour les* escorts. *Recherche Michael Mitch, urgent. Over.*
Personne ne me répond. Paniquée, je cours dans tous les sens, bousculant des superstars internationales sans même m'excuser. Je croise Kitty en chemin. C'est bien ma chance.
— Comment tu as fait pour le perdre ?
— Je suis juste allée aux toilettes et…
— On ne va pas aux toilettes pendant les Teen TV Awards. Retrouve-le.
— *Copy that.*

63

8

Statut Facebook : Mais il est passé où avec ses baguettes ? À la boulangerie ?

Incroyable mais vrai, Sven, si désagréable au petit déjeuner, me sauve en m'annonçant au talkie qu'il est avec Mitch, devant la porte 31. Ouf ! Il ne me reste plus qu'à trouver cette fichue porte 31. Armée de mon plan et de mon terrible sens de l'orientation, je m'active et le ramène au bercail. Il titube, c'est mauvais signe.

19 h 30. Aux grands maux les petites astuces, j'enferme Mitch à double tour dans sa loge. Hors de question qu'il réitère sa petite escapade. Cela me permet d'aller chercher un sandwich au thon que je mange rapidos sur le chemin du retour. Évidemment, c'est à ce moment-là, alors que j'ai de la mayonnaise sur le menton et que je pue le poisson, que je croise mon chéri : Rob Pattinson. Je fonds. J'ai beau essayer de la jouer cool, mes tremblements me trahissent : je suis en transe. Il passe sans me voir mais son

64

accompagnatrice me lance un regard bien connu des filles qui signifie : « T'as les boules, hein ? » Oui, j'ai les boules.

20 h 15. Mon Coca light avalé, je vais jeter un œil au pré-ado dont j'ai hérité. Mitch s'est lamentablement endormi sur le sol pendant que son assistante finit d'ouvrir les cadeaux. Elle me réclame des pizzas. Tout de suite.

20 h 40. De retour avec les pizzas, je découvre que Mitch s'est dégoté une bouteille de Jack Daniel's qu'il boit au goulot. Impossible de tourner le dos deux minutes sans qu'il fasse une connerie. À l'intérieur, je bouillonne, mais je ne suis pas sa mère, je ne peux rien dire. En plus, il me fait peur malgré sa petite taille. Il serait fichu de me crever un œil avec ses baguettes.

Sa blonde ne paraît pas étonnée de voir un mec sorti de cure de désintoxication s'abreuver de whisky. Je dois être *old school*.

21 heures. Je feins d'ignorer qu'il a décidé de faire exploser n'importe quel éthylotest avant sa montée sur scène et débarque avec un thé à la main. D'après les bruits de couloir, ce n'est pas un rappeur qui lui a mis son compte, mais Pink ! De quoi calmer n'importe quel macho, il est sans doute en train de noyer sa honte. Tout ce que je lui demande, c'est de tenir sur ses jambes pour la remise de prix dans moins d'une heure. Et si possible d'avoir l'air moins torché que maintenant, mais il semble sur le point de s'évanouir.

La seule idée qui me vient à l'esprit pour améliorer son état est de le nourrir. Et tout ce que j'ai sous la main, ce sont des M&M's. Je lui en offre avec un air candide.

— Monsieur Mitch, vous devriez prendre des forces, c'est bientôt votre tour.

Il avale les cacahuètes bleues et jaunes sans broncher. Et s'écroule aussitôt en suffoquant. Son assistante cesse de se re-re-remaquiller et hurle :

— Il est allergique aux arachides ! Appelez un médecin ! Tout de suite !

Mitch est allergique ? Cette pétasse n'aurait pas pu me le dire plus tôt ? Pourquoi quelqu'un a mis des cacahuètes dans la loge d'un artiste allergique aux arachides ? Et pourquoi n'y avait-il aucune info à ce sujet dans son dossier ? Mitch vient de virer au rouge Ketchup.

— *Marion à Kitty, hyper urgent. Besoin d'un docteur, NOW.*

Une poignée de M&M's va causer mon licenciement. On m'aura vraiment tout fait.

Je cours dans les couloirs en criant à l'aide. Par miracle, le toubib arrive au bout de quelques secondes (il y en a une tripotée sur place, les organisateurs sont habitués aux catastrophes).

Une piqûre de cortisone plus tard, Mitch reprend des couleurs (ou plutôt il en perd). En revanche, il ne sera pas capable d'assurer le show. Il va être évacué.

Kitty s'approche. Je préfère encore lui annoncer la nouvelle de vive voix. Non parce que j'ai une grosse montée de courage, mais je n'ai pas du tout envie d'utiliser le talkie. Pour informer les *escorts* qui ne sont pas encore au courant ? Ça va, merci.

Évidemment, Kitty est furieuse. Mais elle a une solution de secours : elle a toujours un artiste de réserve, au cas où quelqu'un se désisterait. C'est Jared Leto qui va s'y coller. Il apprend le texte en deux secondes et se tient prêt sur le côté de la scène. Installé sur une chaise roulante « Spécial VIP », Michael Mitch paraît encore trop saoul pour comprendre ce qui lui arrive.

21 h 40. *The show must go on.* Debout à côté de Jared, je repense à toutes ces heures que j'ai passées devant la série *Angela, quinze ans*, quand j'étais ado… Maintenant que je le vois de près, je confirme que Greg, le super beau gosse de la pub, ressemble à Jared.

Je suis partagée entre la honte d'avoir failli tuer une rock star et le soulagement d'être presque au bout de mes peines. Je profite enfin du show. Beyoncé vient de gagner le Prix de l'artiste féminine de l'année. Elle quitte la scène, me frôlant au passage alors qu'elle rejoint la salle des photographes. Britney Spears la remplace avec une bande de danseurs pour un *medley* de ses tubes. Je déteste ses chansons, mais là, tout de suite, j'adore. Dans quelques minutes, Jared remettra le Prix du groupe rock de l'année, et j'aurai le droit d'aller oublier tout ce carnage dans ma chambre d'hôtel.

21 h 58. Britney vient à peine de terminer sa performance (sans play-back, une cata) que Jared arrive sur scène. Il tient à la main le nom du prochain gagnant. Petit larsen de micro.

— Bonsoir, Munich. Je suis très fier de remettre ce prix, même si je dois passer après Britney Spears !

Le producteur est furieux, ce n'est évidemment pas le texte prévu. Mais Jared s'en moque, et ça se voit. Après tout, il a été mis sur le banc de touche jusqu'à ce qu'un joueur daigne se fouler la cheville, il a le droit d'en profiter. Ce mec a de la classe.

— Et le gagnant est… My Chemical Romance. Ça, c'est un groupe, bordel. Vive le rock !

Il remet la précieuse statuette aux gagnants, qui ont dix ans de moins que moi et qui le remercient mille fois, puis il quitte la scène à toute vitesse.

— Je vais faire la fête ! me lance-t-il en passant. Je suis resté sobre depuis 14 heures, au cas où ils auraient besoin de moi, et maintenant…

Pas le temps de lui dire au revoir, il a déjà tourné les talons pour suivre une fille gaulée comme une déesse. Je me retrouve seule dans le boucan de la cérémonie. Autour de moi, tout le monde continue de courir, le talkie hurle toutes les quinze secondes. L'angoisse me submerge soudain. Je file me planquer dans la loge désormais vide de Michael Mitch.

Je m'assieds par terre, enlève le casque de mon talkie et ferme les yeux. C'est fini. Cette journée est finie. William va me tuer à mon retour, ma super mission est foirée, je suis la risée de la cérémonie avec mon presque-meurtre, mon artiste s'est fait casser la tronche par une minette avant de tomber dans le coma à cause de trois M&M's. Il est grand temps d'aller me chercher un appart à Munich. J'envoie un texto à Saskia : « *Suis vivante, sans doute pas pour longtemps. Te raconterai au bureau. Marion.* »

Statut Facebook : J'ai failli tuer le Soldat Ryan, maintenant il faut que je traverse le parc de la mort.

Alors que je me dirige vers la sortie, exténuée, je sens le froid du dehors qui m'agresse. Et me réveille. J'ai l'impression de quitter un sauna pour un igloo géant. Ma frange, collée à mon front, se fige instantanément.

Tant pis pour mes mains gelées, je tremblote mais décide qu'après ce que j'ai vécu ce n'est pas la température qui aura raison de moi. Un dernier coup d'œil derrière mon épaule : ça grouille encore de fourmis dociles, le casque de talkie sur les oreilles, et de stars surmaquillées qui font semblant d'être super contentes. Direction le parc de la mort, avec les derniers M&M's dans ma poche pour me donner du courage. Au moment où je m'enfonce dans l'antre de l'angoisse, j'entends une voix masculine qui tente de prononcer mon prénom.

— Mawionne ! Mawionne !

Je me retourne : Sven. L'empaffé qui m'a insultée au réveil puis sauvé la mise en retrouvant ma rock star.

— Tiens, Sven, tu pars aussi ?

— Oui, le petit Bieber est allé boire son biberon. Je vais l'imiter.

— Si on sort vivant de ce parc !

— À deux, ce sera déjà mieux.

Vu l'intonation, Sven est éméché. Il a sans doute commencé à fêter la fin de la cérémonie. Histoire que notre périple ne soit pas trop pénible, je cherche désespérément un sujet de conversation.

— Alors, comment s'est passée ta journée ?

C'est tout ce que j'ai trouvé. Je sais, c'est nul.

— Oh, c'était du gâteau ! Je peux te dire que l'année où j'ai escorté Marilyn Manson, c'était une autre affaire.

— Ouah, Manson ? La classe !

Il me regarde comme si j'avais un casque de cosmonaute sur la tête.

— Tu connais ?

— Tu me prends vraiment pour une inculte qui niche dans une grotte.

— Non, mais tu n'as pas le look de…

— Je n'ai pas besoin d'avoir le look pour.

Je suis un peu énervée, et, comme pour s'excuser, il passe son bras autour de mon cou. En temps normal, je lui aurais mis ma main sur la tronche (disons que je lui aurais demandé avec un sourire d'enlever son bras), mais j'ai tellement froid que je me tais. Et ça ne me fait pas de mal qu'un mec me touche, l'air de rien. Je n'ai pas dormi avec un hétéro depuis longtemps.

Nous avançons, ignorant royalement les voix des toxicos et des inquiétantes créatures qui nous entourent. L'hôtel semble moins loin qu'il ne l'était — ils ont dû le rapprocher pendant le show. Je ralentis le pas. Après tout, si l'on ne tient pas compte du parc glauque, du vent glacial et de ma coiffure décoiffée, cette balade est presque romantique.

— Tu veux boire un coup au bar de l'hôtel ? Pour décompresser.

Cette journée a failli avoir ma peau et Sven est un beau brin de macho. Il n'y a pas à hésiter.

— Un verre ? Avec plaisir.

9

 ## Statut Facebook : Pas de Freddy Krueger à l'horizon !

Le bar de l'hôtel est tout sauf classe (ça doit être la version allemande du Formule 1). Au moins, ils servent encore à cette heure-ci. Je prends un gin tonic (il faut ce qu'il faut), pendant que Sven déclare ouvert le record du monde de siffleur de bières. Mon stress commence à retomber. Après tout... J'abandonne l'idée de passer pour la gentille petite fille de service. À moi, l'ivresse : garçon, la même chose !

D'autres courageux *warriors* arrivent au fur et à mesure. Beaucoup s'arrêtent au bar et nous regardent d'un air compatissant : nous venons tous de vivre un moment épuisant... Est-ce l'alcool ou les beaux yeux de Sven qui me font effet ? Je me sens apaisée.

Nous parlons de tout et n'importe quoi, ce qui le conduit à m'annoncer, mine de rien, qu'il est seul dans sa chambre. Son coloc a déclaré forfait. Je vois bien où il veut en venir et prétexte un arrêt aux toilettes pour appeler Vincent en cachette.

— C'est moi, il faut que tu me dises de me retenir.

— D'abord « Hello », oui ça va et toi ? Et ensuite, « Te retenir de quoi » ?

— Il y a un Hollandais sexy et saoul qui me propose de le suivre dans sa chambre.

— Et tu veux que je te dise de ne pas y aller ? Rappelle-moi depuis combien de temps tu n'as pas fait… la chose.

— Oh non ! Tu m'encourages à y aller, j'en étais sûre.

— C'est même pour ça que tu m'as choisi comme conseiller plutôt que tes copines puritaines.

— Non, je ne les ai pas appelées parce qu'elles me détestent, tu as oublié ?

— Alors que le bon vieux Vincent, lui, t'aime encore, petite folle. Tu me racontes ta journée quand tu rentres ou je te bombarde de questions tout de suite ?

— Non, garde tes questions. Là, il faut que j'y aille.

— Avant qu'il ne change d'avis, tu veux dire ?

— Tu crois qu'il a déjà changé d'avis ?

— Mais non, Marion, je plaisante. Tu es grave parfois. Mais, dis-moi, tu ne serais pas un peu bourrée, toi aussi ?

— Non, pas du tout, c'est la fatigue. Tu sais, je viens de faire la guerre.

— Tu n'en rajoutes jamais, c'est ce qui fait ton charme.

— Bisous. À demain, à l'aéroport.

— Et bonne nuit. Ha, ha, ha !

— Oui, bon, ça va.

Statut Facebook : À deux doigts d'une grosse bourde.

Après un coup d'œil dans le miroir des toilettes (frange en vrac, maquillage qui coule, cernes, je suis au top), je respire profondément et me jette dans la gueule du loup. Je retourne m'asseoir nonchalamment à notre table et regarde Sven une dernière fois pour être certaine qu'il est vraiment mignon...

Ce n'est pas une illusion d'optique. Ma clairvoyance m'ordonne de foncer. J'utilise la méthode Fille-timide-qui-tente-d'envoyer-un-message et m'étire.

— Je suis crevée, Sven. Je vais me coucher.

— Oui, moi aussi. Après cette journée, c'est mérité.

Nous nous dirigeons vers l'ascenseur, et il m'embrasse dès que la porte se referme. Je ne sais même pas si nous sommes seuls ou si des témoins de cette scène pathétique tentent également de rejoindre leur chambre, mais je m'en fiche. Et s'ils pensent que je suis une fille facile, je m'en fiche aussi.

Sans un mot, nous fonçons dans sa chambre. Sûr de lui, il me colle au mur (aïe ! mon dos, merci) et me déshabille avec une rapidité inquiétante. On dirait qu'il fait ça tous les soirs. Le clip de mon soutien-gorge saute en une seconde et me voilà en culotte, avec un inconnu, à même la moquette. Si ma mère me voyait, elle me tuerait. Mais elle ne me voit pas, et je me laisse aller.

Sven a visiblement envie de tout gérer. Je me retrouve dans des positions inavouables, oubliant ma

74

dignité, jusqu'au moment où je coupe court à nos ébats pour aller vomir en courant. J'avais oublié que je ne supportais pas l'alcool.

À mon retour, Sven s'est déjà endormi et ronfle bien trop fort pour moi. Je retrouve mes vêtements dans la pénombre et rentre dans ma chambre sur la pointe des pieds. Pas un bruit : Silvia a dû se rendre à l'*after-show* de la cérémonie. Je m'étale lamentablement sur mon lit et m'endors à mon tour comme un bébé.

Mon réveil est un vrai supplice. J'ai la tête qui flotte, un goût horrible dans la bouche (bonne idée, de ne pas me brosser les dents après ce que j'ai vécu) et des bleus à peu près partout (merci, Sven). Je prends la douche la plus longue du monde, quitte à utiliser toute l'eau chaude. Ce n'est pas comme si Silvia et moi étions de grandes amies. J'ai la bonne idée de me laver les cheveux, mais sans mon Babyliss magique, ma frange ne ressemble plus à rien. *Je* ne ressemble à rien. On dirait que je n'ai pas dormi depuis une semaine, mes vêtements sont froissés et mes Converse maculées. J'ai honte de prendre l'avion ainsi pour rentrer. Quant au regard de dégoût que Vincent, alias Monsieur Toujours-propre-sur-lui, va poser sur moi, n'en parlons pas.

Pendant que je fais mon check-out à l'accueil, mon étalon de la veille s'extirpe de l'ascenseur, sans doute à la recherche d'un café. Nos regards se croisent. Comme j'ai peur qu'il m'ignore, je tente de me planquer derrière une colonne. Perdu ! Il vient me faire la bise et s'excuse de son comportement. Pour lui montrer que je ne suis pas une gamine dont il aurait profité, je lui rappelle que nous sommes deux adultes responsables et qu'il n'y a pas mort d'homme. Ne t'inquiète pas, mon gars, j'en ai vu d'autres. Le genre de parole qui ne me ressemble pas du tout. Il sourit :

— On peut rester en contact, si ça te tente.

— Oui. Pourquoi pas.

Il me donne sa carte de visite — malaise, j'ai l'impression d'être une call-girl à qui l'on glisse un billet. Je jette un coup d'œil dessus et mon cœur s'arrête : Sven est directeur d'antenne chez Teen TV Hollande ! Un alter ego de William. Ils doivent se connaître, assister à des réunions internationales ensemble... Je suis foutue. Et puis quel âge a-t-il d'abord, avec son visage de poupon innocent ? Je tente de garder un sourire serein. Je lui explique que, venant d'être embauchée, je n'ai pas encore de carte, mais que je lui enverrai un mail.

— OK, Marion. Tu diras bonjour à William de ma part.

Mais comment sait-il ? Que lui ai-je raconté la veille ? Je jure sur mon cochon d'Inde que je ne boirai plus jamais d'alcool. Pas même le champagne à Noël chez mamie. Rien.

— Oui, avec plaisir. Pas de problème. Ça roule. Alors, au revoir.

J'en ai peut-être un peu trop fait, là ? Il me tend une main que je serre fermement, je pleurerai plus tard, dans le taxi. Pour l'instant, souris Marion, c'est pour la télé.

Statut Facebook : J'ai honte.

Après les galères d'aéroport, le passeport perdu au fond de mon sac, la migraine dans l'avion et le lourdaud qui a enlevé ses chaussures à côté de moi au risque d'asphyxier tous les passagers, je retrouve enfin Vincent et me jette dans ses bras.

— Tu n'es partie que trois jours Marion, remets-toi.

J'attends d'être dans la voiture pour tout lui raconter : Michael Mitch qui aurait pu mourir à cause de moi, le Hollandais qui connaît mon patron et qui me l'a bien fait comprendre pour m'humilier, le parc à junkies, la moquette qui m'a cramé le dos pendant que je faisais des galipettes alcoolisées. Vincent ne sourcille pas.

— Ma grande, il va falloir que tu apprennes à assumer. Rien n'est grave. D'accord, l'autre abruti a failli crever, mais personne ne t'avait prévenue qu'il était allergique aux cacahuètes. Ensuite, tu as couché avec un mec de ta boîte, et alors ? Tu crois que tu es la seule à avoir des aventures au boulot ? Si ça se trouve, ton boss va même arrêter de te traiter comme une gamine quand il le saura. Détends-toi.

— On va dire que tu as raison, comme d'habitude, et que je suis une angoissée de la vie. On mange au McDo ?

— Tu as un problème avec le McDo ? Tu n'ignores pas que c'est dégueu ?

— Oh non, ne me fais pas la morale. Tiens, d'ailleurs, il faut que je téléphone à ma mère pour lui dire que je suis rentrée.

— En parlant de ta mère, j'allais oublier un détail qui a quand même son importance. Ta sœur… Elle a débarqué chez toi hier soir. Elle reste toute la semaine parce qu'il y a une inondation chez elle. Sur-pri-seeee !

— Je pense que je peux affronter ça depuis que je suis une *warrior*, une tueuse de rock star et une pro des coups d'un soir.

— T'es bête.

— Merci mon chou, toi aussi. Bon, on prendra un menu de plus pour Canouille.

— Tu ne veux pas arrêter de l'appeler comme ça ? Franchement ! Elle a vingt-quatre ans !

— C'est son prénom. En tout cas, pour moi. Jessica… Jessicanouille… Canouille… C'est pareil. Et puis de quoi tu te mêles ? Estime-toi heureux que je ne t'aie jamais trouvé de surnom…

— Mais je remercie le ciel chaque matin, ma belle. McDo en vue, madame est servie.

Une fois dans l'appart, je me sens tout de suite mieux. Comme si je venais de refermer une parenthèse. Je suis contente de voir ma sœur, même si je n'aime pas les surprises. L'appart est nickel, ça sent la lessive bio. Nous nous installons pour dîner en écoutant la bande originale de *Dirty Dancing*. Il ne me reste plus qu'à prendre un bain, avec deux intrus planqués derrière le rideau pour que je leur raconte mes aventures dans les moindres détails. Vincent me félicite quand je lui montre mes bleus, ma sœur a l'air horrifié, tout est normal. Nous passons le reste de la journée à traîner en pyjama à la maison, à fouiller dans mes albums photos pour retrouver celle qu'on a prise tous les trois à Londres, quelques années auparavant. Au passage, je me demande vraiment pourquoi je n'ai pas adopté la frange plus tôt. La réponse est simple et je m'en rendrai compte dès le lendemain matin : une frange repousse très vite, la couper *droite* seule est impossible et aller chez le coiffeur pour ça est ridicule. Résultat, avec cette coiffure, on signe pour une vie de frange de travers, de crises de nerfs dans la salle de bains, voire de journées entières avec un foulard sur la tête pour camoufler la catastrophe, le temps que ça repousse.

10

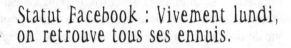

Statut Facebook : Vivement lundi, on retrouve tous ses ennuis.

Lundi matin au bureau, le stress évacué la veille me revient en pleine figure. Quand j'arrive, William m'attend déjà, ce qui est tout à fait exceptionnel. Il a l'air d'une humeur massacrante. Je lui dis bonjour et attrape son mug dans la seconde, mission thé à température magique. Je reviens toute souriante, lui demandant s'il a passé un bon week-end. Il me répond par un regard assassin et pose une feuille devant lui. Le rapport du manager de Michael Mitch. Déjà. Pas le temps de souffler cinq minutes que mes exploits me rattrapent.

— C'est quoi, cette histoire ?

— Je ne savais pas qu'il était allergique aux arachides.

— Mais depuis quand décides-tu de ce que mange une star ? Il paraît que tu l'as forcé à les avaler.

— Non, je lui ai juste conseillé de se nourrir parce qu'il était saoul.

— Il ne pouvait pas avoir bu, son manager dit qu'il sort d'une cure de désintoxication.

— La cure a échoué. Il était totalement imbibé.

— Écoute, Marion… Je ne vais pas te virer parce que je n'ai pas le temps de recruter quelqu'un d'autre. En revanche, que ce soit clair : c'est la dernière fois que tu vas aux Teen TV Awards.

— Entendu.

Je ne peux pas vraiment dire que je sois déçue. Mais ça ne m'empêche pas d'être vexée.

— Je ne vais pas être là de la journée… Toi, tu vas bosser avec Magalie, notre bandothécaire. Elle vient de rentrer de vacances… C'est elle qui tient toutes les archives de la boîte. Elle peut te fournir la moindre VHS ou Beta en cinq minutes. Cette fille est hyper précieuse… Je veux que tu comprennes comment elle travaille.

— Oui, pas de problème. J'y vais de ce pas. La bague a-t-elle plu à la femme de Bernard ?

— Ah, c'était une bague ? Je n'en sais rien, elle a mis des heures à se décider à ouvrir ses cadeaux, j'étais parti.

Sympa. Note à moi-même : continuer à lui rendre des services, mais sans me prendre la tête puisqu'il s'en fiche.

— Je fonce. Essaie de ne tuer personne aujourd'hui, tu seras gentille.

Et il ne plaisante même pas. Je le déteste.

Dès qu'il tourne le dos, je rejoins Saskia pour la remercier de ses conseils. Apparemment, mes aventures ont déjà fait le tour de l'*open space*.

— Ne t'inquiète pas, on fait tous des erreurs aux Teen TV Awards. Une année, j'ai vraiment perdu mon artiste. C'était la chanteuse de Goldfrapp. J'ai passé des heures à la chercher. En fait, elle était partie parce qu'elle n'était pas satisfaite de sa place dans la salle.

— Tu as dû paniquer !

— Avec les années, j'ai appris à relativiser. Ce sera pareil pour toi. Je suis là pour bosser et je suis irréprochable là-dessus. C'est un métier que je connais. Que ce soit chez Teen TV ou ailleurs, ça ne change rien.

— Tu as sûrement raison. Bon, je dois travailler avec Magalie… Où est son bureau ?

— Dans le couloir en sortant, tu vas voir une porte qui mène à des escaliers. Tu ne vas pas te trouver à l'étage inférieur mais à une sorte de demi-étage qui ressemble à une cave, c'est le royaume de Magalie. Je te préviens, elle est un peu… spéciale.

— C'est-à-dire ?

— Je te laisse la surprise.

Je m'attends au pire.

Statut Facebook : Direction la caverne de la rose d'or.

En route pour la cave de Magalie, vers laquelle je me dirige avec un bon café pour ma nouvelle meilleure amie. Saskia avait raison : quand j'ouvre la porte du couloir, l'odeur et le froid me donnent l'impression d'arriver dans un sous-sol un peu louche. On pourrait y tourner un remake de *Hostel*.

— Bonjour, je suis Marion, la nouvelle assistante de William.

Personne ne me répond.

— BONJOUR !

Toujours rien. Je m'avance vers le petit comptoir qui sert visiblement de bureau (on se croirait à la Poste) et comprends pourquoi je ne recevais pas de réponse : Magalie est assoupie. Je lui tapote l'épaule… Elle se redresse aussitôt, yeux grands ouverts comme si elle était tout à fait réveillée.

— Bonjour, tu veux quelle cassette ?

— Aucune en particulier. Je viens faire ta connaissance, je suis la nouvelle assistante de William. Il m'a demandé de passer la journée avec toi pour que tu me formes.

— Ah. Je vois. Je n'ai pas beaucoup de temps, tu te doutes bien qu'avec un poste comme le mien il y a du boulot. Je suis quasiment la mémoire de la boîte. Un poste crucial. Central. Une sorte de pierre enculaire quoi.

— Angulaire.

— De quoi ?

— La pierre. Angulaire. C'est pas grave. Tiens, je t'ai apporté un café.

— Il n'est pas empoisonné au moins ?

— Non, pourquoi ?

— Il paraît que tu tues des gens.

Ouah ! La nouvelle a voyagé jusqu'à la cave.

— William a envoyé un mail à tout le monde pour nous raconter. On est une grande famille, tu sais, on se dit tout.

— Super.

— Ouais, c'est super, hein. Moi, j'adore. Je trouve ça cool de pouvoir compter autant sur mes collègues que sur ma famille.

— Oui, enfin, ce n'est pas pareil. Mais chacun pense ce qu'il veut.

— C'est sûr, on est en thermocracie quand même.

— Démocratie.

— De quoi ?

— Non rien.

Je comprends l'avertissement de Saskia. Non seulement elle est bizarre, elle dort au bureau, elle croit travailler dans *La Petite Maison dans la prairie*, mais en plus elle mélange les mots. Je me jure de ne plus la reprendre sur les expressions écorchées pour ne pas la vexer. La journée va être sympa.

— Bon, je vais commencer par t'expliquer mon travail, me dit-elle. Ici, on garde toutes les cassettes de Teen TV, depuis les débuts. Je les classe, les étiquet-tette, les numérote, et quand tu as besoin d'en récupérer une, il te suffit de remplir ce morfulaire.

Etiquettette ? Morfulaire ? Mais qu'est-ce qu'elle raconte ? Bon, passons. Le formulaire fait une page recto verso.

— Je suis là de 9 h 30 à 17 h 54, et je prends une pause de quinze minutes à 10 h 45 et 16 heures. Je déjeune à 13 heures, pendant une heure. Tu pourras checker, à 14 h 01, je suis à mon poste. Je connais le droit du travail, alors qu'on n'essaie pas de me faire faire des horaires illégaux, sinon c'est les prud'hommes. Je suis un peu franco de bœuf, ne le prends pas mal, mais j'aime que les choses soient claires. Tu comprends ?

— Oui, tout à fait. Donc si j'ai besoin de visionner des programmes, je m'adresse à toi.

— Voilà, et tu remplis bien le document. C'est le process, c'est comme ça. C'est moi qui l'ai créé pour faciliter le boulot de tout le monde, et surtout le mien. Je n'ai pas la science diffuse mais je sais gérer mon département, tu vois ?

— Oui, oui. *Diffuse*. Je vois.

— Une visite guidée ?

Elle soulève une partie du comptoir pour que je passe de l'autre côté. Je découvre qu'elle porte d'énormes chaussons avec des têtes de koala en peluche. Ne ris pas Marion, ça doit devenir ta copine, calmos. Je pénètre dans l'antre de la bête… C'est impressionnant : des centaines de VHS et Beta sur des dizaines d'étagères, avec des étiquettes de couleur. On se croirait au musée de la télé.

— Personne ne sait comment c'est rangé, sauf moi. Parce qu'on dit que personne n'est irremplaçable, mais ce n'est pas vrai. Si je meurs, ils seront bien embêtés. Ils ne trouveront plus rien. Bah oui, c'est comme ça, c'est chez moi ici.

— C'est bien rangé, en tout cas.

C'est la seule banalité qui me vient à l'esprit pour éviter de l'interroger sur ses chaussons, même si ça me démange.

— Tu veux que je t'explique le morfulaire ?

— Non, ne t'inquiète pas, je vais m'en sortir.

— Sinon j'ai créé cet autre document qui explique comment remplir le questionnaire. C'est pratique. Tu vois, je suis du genre à parer à toutes les évacualités.

Mon Dieu, je vais m'arracher les veines avec les dents si elle continue.

— OK, Magalie. Écoute, je ne pense pas qu'il faille vraiment…

— « Qu'il faut vraiment », c'est « faut », pas « faille ».

— Je ne pense pas qu'il faut vraiment que je passe la journée avec toi, tu expliques tellement bien que cette visite suffira largement.

— Comme tu veux. De toute façon c'est l'heure de ma pause. J'y vais.

Elle enfile ses chaussures et me laisse en plan dans la bandothèque. Je jette un coup d'œil à son formulaire : c'est une blague. Il y a des cases à remplir dans tous les coins, notamment le « motif de visionnage » et l'heure « précise » de retour de la cassette. Si je viens chercher une VHS ou une Beta, il faut que je calcule combien de temps ça va me prendre et que je lui dise à l'avance ? Elle indique en bas de page que « toute cassette rendue en retard entraînera des pénalités pouvant mener à une banisation de la bandothèque pendant une semaine ». Une *banisation*. Cette fille est un désastre.

Statut Facebook : Ce soir, je lis le dico, ça va me purifier.

Je remonte et cherche le mail de William racontant mes mésaventures à tout le monde. Il ne m'a pas loupée. Je décide de braver son autorité et clique sur « Répondre à tous » :

Objet : Mes exploits

Fort heureusement, Michael Mitch, l'homme qui ne supportait pas les cacahuètes, est rentré chez lui sain et sauf. Pour éviter ce genre de désagrément, je vous prie de bien vouloir m'adresser la liste des aliments dangereux pour vous, afin de ne pas vous en faire ingurgiter de force. Cordialement, Marine. Pardon, Marion.

Je vais sans doute le payer cher, mais je m'en fiche. Je sens les regards de mes collègues sur moi à la réception du mail, j'entends leurs rires étouffés. Voilà. Au moins, je leur montre que je ne me laisse pas écraser. Pas toujours.

Dans la minute, Greg, le beau gosse de la pub que j'avais oublié, me répond.

Re : Vos exploits

Je ne suis allergique à rien et accepte votre proposition de déjeuner avec plaisir.

87

11

 ### Statut Facebook : Mais fais-toi plaisir, Marion.

Eh bien, Greg, je sens que c'est ma journée, allons-y pour un déjeuner. Rien à perdre au point où j'en suis.

Re : Vos exploits
Ça marche, ton heure sera la mienne. Je ne connais pas le quartier, je te laisse donc choisir le lieu. Si tu ne me reconnais pas, je suis la fille qui a une frange de travers.

Re : Vos exploits
Ne vous inquiétez pas, je vous reconnaîtrai sans problème. Vous êtes la fille avec un couteau de boucher dans son sac à main.

Je ne réponds pas parce que je sens qu'il a envie de discuter alors que moi, non. Une seule chose m'intéresse : comment m'assurer que Sven ne va pas me faire passer pour une marie-couche-toi-là auprès de mon patron. La tentation d'envoyer un mail à ma bande de cop's est grande, mais elles seraient trop contentes de me voir dans la panade. À moins que ce ne soit la solution pour les ramener à moi ? Aucune fille ne peut résister à une histoire de coucherie, surtout pas au boulot. J'envoie un texto à Vincent pour lui demander ce qu'il en pense. Il en discute cinq minutes avec ma sœur (les deux squattent allègrement chez moi), puis me confirme : « *Très bonne idée. Stop. Tente le SOS Copines. Stop. Dis que c'était un super coup. Stop.* » (J'ai toujours aimé les textos de Vincent qui estime que ce n'est pas une perte de temps de mettre des « Stop » partout.)

La bonne nouvelle, c'est que Vincent est de mon avis. Je m'applique donc pour écrire ce mail qui va, peut-être, me rendre mes amies :

Objet : Catastrophe

Les filles, je sais que vous n'avez pas trop le temps et que tout le monde a ses problèmes, mais j'ai vraiment besoin d'un RD-V d'urgence avec vous trois. J'ai fait une grosse boulette. J'étais complètement saoule ce week-end et j'ai couché avec un mec de Teen TV. Il connaît mon boss et menace de lui balancer la news. JE FAIS QUOI ?

P-S : c'était le coup du siècle, j'ai encore des bleus et une petite brûlure de moquette dans le dos à vous montrer si on se voit très vite. Genre ce soir.

À peine ai-je le temps d'envoyer ma bouteille à la mer que Greg rapplique.

— Si vous voulez bien me suivre, gente dame, vous avez un rendez-vous.

Ça sent le baratineur à dix kilomètres, mais je pouvais difficilement m'attendre à autre chose de la part d'un mec qui vend de la pub toute la journée. Je me retiens de sourire bêtement et prends un air grave pour lui éviter l'humiliation de la blague qui tombe à l'eau.

— Merci, mon brave, je m'apprêtais justement à vous attendre à l'entrée de cet édifice.

Une fois dans la rue, je me rends compte que je n'ai rien à lui dire. Rien du tout. C'est malin. Je dois vraiment avoir besoin d'un amoureux… La preuve : je suis prête à tout pour être en compagnie d'un garçon. Quoique celui-là me plaît vraiment. Sûrement à cause de sa petite barbe rousse, *so* sexy. J'adore. Il m'entraîne dans une brasserie un peu éloignée du bureau, pour éviter nos collègues. Une fois assis, le chasseur se jette sur sa proie.

— Alors Marion, d'où tu sors ? Qui es-tu ? Qu'est-ce que tu aimes dans la vie ? Tu fais quoi, un 90 C ou plus ?

Choquée par sa dernière question, je me demande si j'ai bien entendu. Méthode de la perdrix apeurée, j'esquive.

— Je viens d'un autre monde. Une boîte sympa où j'ai bossé cinq ans avec des gens adorables qui ne me considéraient pas comme une tueuse en série. Dans la vie, j'aime ma famille et mes amis, les séries télé et mon cochon d'Inde. Et non, avant que tu me le demandes, je n'ai pas de mec.

— Je n'allais pas te le demander.

— Ah d'accord. Et toi, tu aimes quoi dans la vie ?

— Rencontrer des gens. Boire leur âme et me nourrir de leur chair… C'est ce que je préfère : m'enrichir de ce que les autres m'apportent. Non, sans déconner. J'aime aussi les séries télé, signer des gros contrats, partir en week-end et mater *Les Affranchis* une fois par semaine.

— T'es un mec normal, quoi.

— C'est hyper vexant de me dire ça. Je t'ai quand même invitée à déjeuner sans te connaître, ce n'est pas si banal.

— Je te l'accorde.

Dans ma tête, les images floues de ma partie de jambes en l'air avec Sven se bousculent. Il a clairement remis ma libido en état de marche, et c'est sur Greg que je vais me défouler.

— Et toi, tu as un mec ?

— Non. Ni de copine. Ni de cochon d'Inde. Le vide, quoi.

— Cool. Enfin, je veux dire… Bref, tu es seul, je suis seule, tout ça.

Mes joues brûlent de honte. Qu'est-ce qui me fait dire des bêtises pareilles ? Sans doute ses yeux. Ou le son de sa voix. Ou la bague qu'il porte au pouce de la main droite. Je n'en sais rien. Je n'ai même pas envie de me ressaisir. Au point où j'en suis, je pourrais établir un doublé gagnant en couchant avec deux mecs de Teen TV dans la même semaine. Vincent serait tellement fier.

— On va commander. Je sens que tu as faim.

Je sais qu'il fait allusion à une faim « de garçons », mais je ne relève pas. La blague n'est pas assez subtile.

Le déjeuner se déroule dans une atmosphère de flirt honteuse, mais ça me fait beaucoup de bien. Greg est drôle, séducteur, intrigant. Tout ce dont j'ai besoin.

— Tu sais, dit-il, ton poste a été proposé à plusieurs filles de Teen TV. Elles ont toutes refusé. William est trop dur à gérer. Mais je connais ses points faibles. Et je suis prêt à les partager avec toi. À condition que tu le mérites.

— Que je le mérite ? Tu n'y vas pas par quatre chemins !

— Je suis un mec et, qui plus est, un mec de la pub. Si je n'étais pas direct, je signerais un deal par an. Tu es mon prochain deal.

— C'est extrêmement romantique. Tu sais parler aux filles.

— Je me débrouille.

— Un conseil pour apprendre à survivre dans cette chaîne au lieu de me considérer comme de la marchandise ?

— Un seul : deviens copine avec les gens de ton bureau. Sinon tu vas péter un plomb. Concentre-toi sur Saskia qui connaît toutes les ficelles, Carine qui est une vraie guerrière et Nina qui fait flipper tout le monde parce qu'elle ressemble à un top model. N'oublie pas Frank qui ne t'a sûrement pas encore adressé la parole, parce qu'il est trop timide. Il est planqué derrière les plantes vertes, mais ce mec est un roc. Mais que je ne te voie pas flirter avec lui, je me sentirais insulté.

— Tu es vraiment sûr de toi. Je flirte avec qui je veux, non ?

— Non. Tu es plus jolie que quand tu es arrivée, j'ai l'impression. Tu as changé quelque chose ?

— Ouais, j'ai survécu aux Teen TV Awards.

— La frange ! C'est la frange ! Très sage décision.

— Contente que ça te plaise. Et toi, la barbe, c'est tout le temps ou juste quand tu as prévu de déjeuner avec une fille à frange ?

— Ça dépend de ce qu'elle en pense.

— Elle aime beaucoup.

Ouf, le dessert est avalé, le café bu en vingt secondes, nous pouvons reprendre le chemin du bureau avant que la situation dérape. Dans la rue, il marche près de moi et regarde si ça me trouble. Oui, ça me trouble, mais non, je ne le montrerai pas. Il me tient la porte de Teen TV en chuchotant : « Bonne après-midi, beauté. »

Je ne réponds pas. Direction mes mails pour voir si les filles ont mordu à l'hameçon. Bingo, Sev signe la trêve.

Re : Catastrophe

Sommes dispos ce soir. 20 heures au japonais qui tourne à Bastille. Bisous.

12

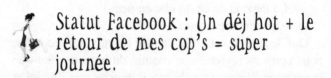

Statut Facebook : Un déj hot + le retour de mes cop's = super journée.

Je reçois un mail de William, pas fan du tout de mon sens de l'humour.

Objet : Attention

On ne fait jamais un mail qui écrase celui de son boss. Sinon c'est ton boss qui va devoir t'écraser. Au lieu de faire n'importe quoi, organise la réu éditoriale de vendredi. Vois avec Carine, elle te dira qui doit être présent. Et qu'ils soient tous là à 17 heures, sinon ils vont m'entendre.

Quel mufle. Je vais voir Carine avec un grand sourire. Apparemment, je tombe bien, elle n'a pas bu son petit café et prendrait bien une pause de dix minutes à la cafétéria (dont j'ignorais l'existence jusque-là). La pièce n'est pas très spacieuse, le four à micro-ondes est plein d'éclaboussures de hachis parmentier ou de je ne sais quel plat surgelé, le frigo est rempli de bidules périmés qui dégagent une odeur atroce, mais, au moins, il n'y a pas le bruit des télés. L'air de rien, ce boucan permanent me cause des migraines, et je savoure ces quelques minutes de calme.

— La réu du vendredi, c'est le moment d'autorité hebdomadaire de William. Il adore ça. C'est un peu comme un combat de poules, où tout le monde essaie de plaire au patron avec une meilleure idée que son voisin. C'est totalement inutile, William ne garde que sa propre idée. Je ne te cache pas que c'est un de mes *high lights* de la semaine.

— Et qui faut-il inviter ?

— Le marketing, la pub, l'attachée de presse, la programmation musicale, le service promo antenne et la prod. Comme personne n'a jamais envie d'y aller à part Saskia et moi, il va falloir que tu traînes tes collègues par la peau-de-tu-sais-quoi jusqu'à la salle de réu.

— Je fais du baby-sitting, quoi.

— En gros, oui.

— J'adore mon job.

— Écoute, le problème c'est que personne ne t'a expliqué ton job ici. William aurait dû s'en occuper, mais comme c'est un gros feignant, il ne faut pas y compter... Si tu veux, on se pose toutes les deux demain. Ça t'irait, une formation accélérée ?

— Super. Au moins, j'aurais l'impression de servir à quelque chose.

— Pour l'instant, tu sers à ce que William soit encore moins au bureau, et il doit être content.

D'ailleurs, je ne comprends pas pourquoi il fait autant la tronche alors qu'en dix jours il n'est pas resté plus de sept minutes, montre en main.

— Peut-être qu'il aime faire la tronche. Il y a des gens comme ça. Il y en a qui aiment s'épiler — ce que je trouve hyper bizarre —, d'autres qui aiment réinventer la langue française et gérer des cassettes, et d'autres qui adorent faire la tête. C'est la vie.

— Je vois que tu as fait la connaissance de Magalie.

— Elle est monumentale.

— On a créé un groupe Facebook qui évoque toutes les raisons potentielles pour lesquelles elle n'a pas encore été virée et un *best of* de ses plus belles perles. Je t'enverrai une invitation.

— J'ai hâte ! Elle m'en a déjà sorti des magnifiques.

— Tu n'as pas fini d'en entendre. Allez, hop, au travail. Comme dirait notre cher patron, on n'est pas payés à glander avec un café. C'est sûrement pour ça que cette cafète est aussi glauque.

De retour à mon bureau, je prépare un joli mail aux personnes attendues à la réunion du vendredi :

Objet : Réu éditoriale du vendredi

Chers collègues, comme le veut la tradition, cette semaine se terminera par votre événement favori : la réunion éditoriale dans la salle Lady Gaga, à 17 heures tapantes. Je promets un pain au chocolat à ceux qui viendront sans que j'aie besoin de me déplacer pour les y traîner. Je vous rappelle au passage que je ne sais même pas où est installée la moitié d'entre vous. Le temps que je passerai à vous chercher avec ma boussole et une carte sera donc proportionnel au temps supplémentaire que vous passerez dans l'enceinte de ce magnifique office. Merci pour votre compréhension.

P-S : Je vais prendre des notes. Ce serait sympa de ne pas parler tous en même temps, ni trop vite. Merci.

Marion, la nouvelle qui ne l'est finalement plus tant que ça.

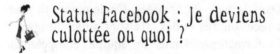

Statut Facebook : Je deviens culottée ou quoi ?

Carine me lance un sourire approbateur après la réception du mail. *Yes.* Je décide de m'aventurer de nouveau à la bandothèque pour récupérer quelques VHS à regarder chez moi, ce soir. Car, oui, j'ai encore un magnétoscope, ce qui me permet de visionner les concerts et les émissions enregistrés quand j'étais ado, ainsi que la quasi-intégralité des *Contes de la crypte*.

Arrivée dans la cave, je retrouve Magalie, avachie sur sa chaise en train de tricoter. Visiblement, sa journée n'est pas vraiment *speed*.

— Rebonjour, je voudrais emprunter des cassettes.

— Tu as rempli les morfulaires correspondants ?

— Non, tu ne m'en as donné qu'un et je l'ai archivé dans mon classeur « Nouvelle tâche ».

97

— Je peux te faire une formation « photoco-pieuse » si tu veux… En voilà un petit paquet, fais-en bon usage.

— Bien sûr, merci.

Après un coup d'œil au formulaire, je m'aperçois que je n'y comprends pas grand-chose.

— C'est quoi ce numéro d'identification dont tu parles à la ligne 2 ?

— Bah, c'est le numéro de la cassette, ça me paraît bête comme hibou.

Self-control, Marion. Self-control.

— Hum. Et je le trouve où le numéro ?

— Dans la base de données. Évidemment tu n'as pas dû recevoir tes codes, ils sont super longs au service informatique. Toutes les équipes européennes ont été virées et centralisées dans une *hotline*, au Texas. À cette heure-ci, ils dorment, on ne va pas pouvoir les contacter.

— En effet. Comment je peux faire ?

— Ah, là, là ! Marine, tu as encore beaucoup de choses à apprendre.

— Marion, je m'appelle Marion.

— C'est pareil.

— Voilà qui explique bien des choses…

— De quoi ?

— Non, rien. Est-ce que tu peux m'aider pour ces cassettes ? Je te promets de me débrouiller la prochaine fois.

— OK. Mais c'est la dernière fois, parce que je n'aime pas trop qu'on profite de moi. Donne-moi la liste de tes émissions et je m'en occupe.

— Tu es un ange.

— Oui, on peut dire que je t'enlève une fière chandelle du pied.

— C'est ce que j'allais dire, Lucie.

— Magalie. Moi, c'est Magalie.

— Ah, pardon. C'est presque pareil.

Elle part dans les méandres de ses étagères avec cet air renfrogné qu'elle ne quitte jamais et revient une demi-heure plus tard avec mes petits trésors. Certaines de ces émissions vont me permettre de mieux connaître les programmes de la chaîne, mais d'autres sont pour mon plaisir personnel.

— Voilà, tout y est. Tu peux vérifier si tu veux, mais je fais très bien mon travail. Tout le monde te le dira ici.

— Oh, j'ai parfaitement confiance. Merci et bonne fin de journée.

Avant une torture linguistique de plus, je file lire les mails de William. On ne sait jamais, il pourrait vraiment y avoir une info urgente à lui transmettre.

Non. En fait, William reçoit très peu de mails pour un directeur d'antenne. Soudain, mes yeux s'arrêtent sur un nom : Sven.

J'ouvre.

Objet : Ton assistante

Hey William, ça fait un bail. Qu'est-ce que tu deviens ? Il paraît que vous bossez comme des fous en France. Dis donc, j'ai fait la connaissance de Marion aux Teen TV Awards, et quand je dis faire connaissance,

je ne mâche pas mes mots. Cette petite est une vraie
sauvage. À un de ces quatre.

   Sven.

Le porc. Je suis rouge au point que mes joues me
brûlent. S'il était devant moi, je lui mettrais mon poing
en travers de la figure, à ce gros dégueulasse qui s'est
endormi pendant les deux minutes où je me suis éclipsée.
J'ai honte, je suis en colère, j'ai envie d'exploser. Moi,
une sauvage ? Sous le coup de la haine, je réponds, au
nom de William.

Re : Ton assistante
Hello Sven, c'est sympa d'avoir de tes nouvelles, mais
je t'avoue que, là, tu es mal tombé. Marion est la nièce
de ma meilleure amie, et j'apprécierais que tu gardes tes
commentaires scandaleux pour toi. Sinon je te promets
de t'enfoncer six pieds sous terre. Elle a la moitié de ton
âge, tu n'as vraiment honte de rien ! Ne t'avise pas de
raconter ces âneries autour de toi, sinon je me ferai un
plaisir d'envoyer ton mail à ta femme. Je suis sûr qu'elle
appréciera.
   William

Certes, j'y vais un peu fort, mais mon honneur et mon
job en dépendent. Un petit nettoyage dans la boîte
Outlook de mon chef, et les deux mails ont définitivement disparu. Comme si de rien n'était. Fière de ma
pirouette, je me lance dans la lecture passionnante d'une
bible prêtée par Saskia. Elle y explique comment fonctionne la base de données de Teen TV. Elle contient

notamment les fameux numéros de cassettes, des résumés d'épisodes, des annotations juridiques (date de fin de droit d'exploitation, censure horaire…), ainsi que la durée, l'année de production et la personne à contacter pour chaque épisode de chaque programme. Autant dire que c'est une mine d'or, sauf que son fonctionnement est tout à fait opaque. Au boulot, Marion, on se concentre, c'est du sérieux. Je suis interrompue par un mail de Greg, que j'attendais un peu, je l'avoue.

Objet : Vous

Chère Marion, j'ai été enchanté de partager ce festin avec vous et ne puis contrôler mes pensées qui sont envahies par votre magnifique visage. Le son de votre rire envahit mon cœur. Vous me manquez déjà. Puis-je espérer boire un doux breuvage en votre compagnie ce soir ?

Son style romantico-médiéval m'amusait au début. Mais il commence déjà à me taper sur les nerfs. Il pourrait au moins changer d'époque.

Objet : Notre déjeuner

Désolée, Greg, je dîne avec mes copines ce soir. À plus. Marion.

Objet : Votre brutalité…

… n'a d'égale que la beauté de votre âme. Je me montrerai donc patient et espère sincèrement partager un nouveau moment d'intense intimité avec vous. Votre dévoué, Greg.

Bon, il est totalement frappé, mais ça ne change pas le fait qu'il soit craquant, drôle, un peu fou et diablement sexy.

Objet : Un prochain déj

Je te propose un déjeuner la semaine prochaine. Je ne suis pas très poète, je te laisse assurer les rimes ; je me contente de te souhaiter une bonne soirée, mes cops m'attendent. Bye.

Vincent me l'a toujours dit : plus le mec te plaît, plus tu dois te faire désirer. Se retenir un maximum pour ne pas craquer. Maintenant, direction le japonais qui tourne, un resto sympa avec un rail géant qui le traverse et sur lequel sont posés les plats. Les filles et moi adorons cet endroit, on a l'impression de manger très équilibré, même si la tradition veut que nous finissions par un dessert au Starbucks.

13

Statut Facebook : Amies chéries, me voilà !

Dernière arrivée au resto, j'ai un minimoment de panique. Mes copines vont-elles être cool avec moi ? Désirent-elles seulement entendre les détails (scabreux) de ma vie sexuelle avant de me snober à nouveau ? Après une profonde inspiration, je les rejoins, un grand sourire aux lèvres.

— Les filles, je suis trop contente de vous voir ! Ne me faites plus la tête, je vous en supplie.

— Allez, poulette, relax, me dit Béné. On était un peu jalouses, mais c'est déjà passé. Tiens, on t'a apporté un cadeau en guise de réconciliation.

— Merci les chéries. C'est quoi, le cadeau ?

Alors que je m'attends à une bricole de rabibochage, genre trousse à maquillage Sephora ou beurre corporel coco Body Shop (ma drogue), Béné me tend une boîte.

— Houla ! Mais c'est un gros machin. Ou alors vous m'avez fait le coup du minigloss caché dans des petites boîtes de plus en plus grosses ? C'est super embarrassant dans un resto…

Séverine me regarde de son air sage.

— Quand tu auras fini de te plaindre, tu ouvriras ton paquet. En attendant, portons un toast Coca light à nos galères : ruptures, boulot, histoires de fesses, vous n'aurez pas notre peau.

— *Cheers !* Allez, j'ouvre.

Les yeux écarquillés, les doigts tremblants, je découvre une paire de chaussures d'Annabel Winship, *The* nana à qui je voue un culte. Escarpins mauves avec un nœud papillon bleu ciel dessiné dans le cuir, ouvertes au bout. Une merveille.

— Mais vous êtes dingues ! Les filles, je vous aime trop. Elles sont mortelles. Je pue des pieds avec mes Converse, mais je m'en fiche, je les mets tout de suite.

— Justement, à propos de tes Converse, tu ne crois pas qu'il serait temps de les lâcher ? me demande Sev.

— Vous trouvez que ça craint ?

— Non, ce n'est pas pour ça qu'on s'est mises à découvert pour tes Annabel !

Anna, toujours très directe, en rajoute une couche :

— En ce qui me concerne, je suis vraiment à découvert !

— Je t'invite… Je vous invite toutes, bande de folles. J'ai trop la classe avec mes chaussures. Vous avez assuré. Même si vous avez aussi été de belles saloperies, la semaine dernière.

— On ne revient pas là-dessus, d'accord ? Attrape-moi la petite assiette de sushis saumon avant qu'elle disparaisse.

— Tu remanges du poisson, toi ? Je pensais que tu étais vaccinée à vie de la viande et du poisson depuis que tu as lu ce bouquin… Jonathan machin truc.

— Safran Foer. Jonathan Safran Foer. Ça te fera moins rire quand tu l'auras lu. Mais je fais un break cette semaine, j'ai une compète de roller derby ce week-end, il faut que je sois ultraforte.

— Anna, tu as les passe-temps les plus étranges du monde.

— Bref, où sont les bleus témoins de ta folle nuit ?

Je commence par résister à l'idée de relever mon T-shirt au beau milieu du restaurant, mais je capitule lorsque les trois se mettent à hurler à l'unisson :

— Les bleus ! Les bleus ! Les bleus !

Je montre les preuves à conviction et savoure leurs regards envieux. Que c'est bon d'être le centre de leur attention… Je leur raconte toute l'histoire, sans oublier le passage du vomi, ni le mail que Sven a envoyé à William, ainsi que ma réponse. Sous leurs applaudissements, je fais une courbette avant d'enchaîner sur ce collègue, plutôt canon, qui me drague lourdement.

— Tu es déchaînée, Marion ! Ça y est, ton Hollandais a lâché le monstre assoiffé de sexe qui sommeillait en toi !

— D'une, ma chérie, je ne suis pas assoiffée, et de deux, j'ai le droit de me faire un peu plaisir, non ? D'ailleurs, assez parlé de moi. Vous en êtes où, vous ?

Bénédicte nous raconte que Jacques, son mec, est finalement revenu en rampant après l'avoir larguée par texto quelques jours auparavant. Il a avoué l'avoir trompée à une soirée sous le coup de l'alcool avec une fille dont il ne connaissait pas le prénom.

— J'ai décidé de lui laisser une chance. Je sais ce que vous pensez, mais Jacques est un mec génial qui a un léger complexe d'infériorité. Il a eu un moment de faiblesse, ça ne lui enlève pas ses qualités. Je suis bien avec lui. Je tente le coup. Mais c'est la dernière fois. À la prochaine faute, même minuscule, non seulement je le vire mais je brûle ses fringues et j'éclate son ordi. Il n'a pas fini de payer le crédit, c'est encore plus drôle !

— Bien dit, ça mérite encore un toast. *Cheeeers !*

Sev enchaîne avec son boulot dans un institut de formation qui lui tape sur les nerfs. Elle s'ennuie, ses collègues sont nuls et elle doit porter des tailleurs qui lui sont insupportables.

— Il faut que je parte, mais je flippe. Je ne sais pas où je vais dans la vie. Je ne sais même plus ce que je vaux après toutes ces années à tourner en rond.

— Ma poule, je te l'ai toujours dit : monte cette boîte de traiteur à domicile dont tu nous parles depuis des siècles. Je te vois trop faire ça. Tu prendras Vincent comme associé, il s'ennuie et il a de l'argent à dépenser grâce à ses shoots photo.

— J'ai les jetons. Si je me plante, Jules me le fera payer pendant des siècles.

Anna, féministe jusqu'au bout des cheveux, s'emballe.

— Mais ce n'est pas *sa* vie, c'est la tienne. On s'en fout, s'il fait la tronche. Ce n'est pas grave de se planter ; ce qui est grave, c'est de ne rien faire. Tu as ça en toi. L'organisation, les idées, l'envie d'apporter aux gens ce qu'ils n'arrivent pas à créer eux-mêmes en leur organisant des super soirées. Lance-toi, chérie !

— Je te propose un pacte. Si tu démissionnes et que tu te lances, on investit toutes dans ta société. Enfin, pas Anna parce qu'elle galère, mais Béné et moi, on investit. T'es OK, Béné ?

— Grave. On te suit à cent pour cent. Je te fais un chèque à la minute !

— Vous êtes géniales. Vous croyez plus en moi que je ne le fais, et c'est sûrement vous qui avez raison. De toute façon, je ne peux pas rester là-bas. Un jour, on va me retrouver morte d'ennui sur ma chaise. C'est certain.

— Moi, je ne peux pas investir de thunes, dit Anna, mais je peux t'aider. Je ferai tes cartes de visite et ton site Internet gratos. Il faut bien que ça serve à quelque chose une graphiste.

— Je me donne trois mois pour y réfléchir, et on en reparle.

Le repas se termine avec nos souvenirs d'amitié qu'on s'est déjà racontés une cinquantaine de fois, mais on ne s'en lasse pas. Je reçois un texto.

« Alors beauté, êtes-vous toujours en compagnie de votre cour ou avez-vous le temps pour un late drink avec votre chevalier servant ? »

J'ha-llu-cine. Comment il a eu mon numéro, celui-là ? Je fais tourner mon portable pour recueillir l'avis des filles.

— Laisse-le mariner. Il se croit où ? Un déj et il pense que tu es à lui ? Je ne répondrais même pas à ta place.

— Totalement d'accord avec Anna, il n'a qu'à attendre ! Il ne va pas en mourir. Et c'est trop jubila-toire !

— Mais… et si c'était le mec de sa vie ?

— Bon, Béné, tu as repris ta *love story* avec Jacques et tu as les yeux pleins d'étoiles. C'est super mais je crois que ça te fait perdre la raison. Ton vote ne sera pas pris en compte aujourd'hui.

— OK, je ne réponds pas. Je le vois demain au bureau, il va falloir qu'il se calme un peu, pépère.

Un dernier toast, et nous rentrons chacune chez nous, moi crânant ouvertement dans le métro avec mes Annabel Winship aux pieds. Dès que j'ouvre la porte, Vincent se jette dessus.

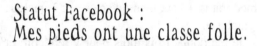

Statut Facebook :
Mes pieds ont une classe folle.

— Ouah ! Tu as eu une prime ?

— Non, cadeau des filles !

Canouille rapplique, du papier alu sur la tête.

— Ne vous moquez pas, je me fais une teinture, j'ai repéré un cheveu blanc. Mortelles, tes pompes.

— Elles s'appellent « Interdites à ma sœur, même si on fait la même pointure et même si c'est juste pour aller acheter du pain ». Tu prends ce que tu veux dans cet appart, mais pas mes Annabel. C'est pigé ?

— Ouais, relax, je ne vais pas te les voler, tes chaussures. De toute façon, je n'ai rien qui va avec.

— Ça se porte avec tout. Mais ce n'est pas une raison pour me les piquer. Ni pour les toucher d'ailleurs. Ni même les zieuter. Je vais les ranger en lieu sûr.

Je file les planquer dans ma chambre… Même si je ne me fais pas d'illusion : avec Canouille, aucun lieu n'est sûr.

— Quelle maniaque ! Quand je pense qu'elle se trimballe ses Converse pourries été comme hiver et, là, il lui faudrait un coffre-fort pour ses Annabel Truc.

— Je t'entends, même de la chambre !

— Calmos les sœurs, j'ai une migraine de fou après avoir enchaîné toute la saison 4 de *Dexter*. Je ne veux plus vous entendre.

— Mais dis-moi, mon cher, t'as pas un appart ? Parce que je suis certaine que c'est très silencieux là-bas.

— Tu es cruelle. Fais gaffe, j'ai passé la journée avec un tueur en série !

— Ce qui me rappelle que depuis l'épisode Michael Mitch, tout l'*open space* me considère comme une criminelle. J'ai bien envie d'y aller avec mon tablier blanc plein de taches de peinture rouge, demain…

— Atelier peinture, c'est parti !

— Non, Nouille, je n'ai pas de peinture et il est minuit et demi !

— On peut utiliser du vernis à ongles à la place. Allez, ça va être cool.

— Mais tu as quel âge ? Tu ne devrais pas être au lit ?

— Soit on nique ton tablier, soit je te jure que je te pique tes chaussures sans que tu t'en aperçoives.

— Vinceeent ! Apporte trois thés et mon tablier de cuisine, mon chou, on va faire de l'art.

— Yeah. C'est pour ça que je ne veux pas rentrer chez moi.

— On avait compris.

Après une heure à dénaturer mon pauvre plastron tout neuf, je tombe de sommeil.

— Bon, les chômeurs, moi je vais au plume parce que, mine de rien, je *bosse* demain. Je ne sais pas si ce mot vous rappelle quelque chose ?

— Ne me regarde pas comme ça, soupire Canouille. J'ai prévu de chercher du boulot dès demain. C'est sur ma liste. Shopping chez New Look pour essayer la veste noire intérieur zèbre. Coiffeur pour rattraper ma couleur totalement ratée. Trouver un boulot.

— Ce n'est pas dans le bon ordre, Canouille. D'abord tu cherches le job, après tu dépenses le salaire. Et, oui, tu as raté ta couleur, on dirait une goth de treize ans.

— Moi, je vais bosser dur ce week-end, ajoute Vincent, donc je dors demain. Shooting à Madrid pour des slips. En gros, je vais passer deux jours en compagnie de gens à moitié nus dans un studio surchauffé, avec buffet à volonté. Je penserai à vous.

— Tu as trop la belle vie, ça m'énerve.

— Je sais.

110

14

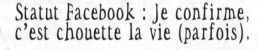 Statut Facebook : Je confirme,
c'est chouette la vie (parfois).

Arrivée chez Teen TV le lendemain, je découvre un petit sachet de boulangerie qui m'attend sur mon bureau, avec mon prénom inscrit dessus. Des chouquettes. William chercherait-il à se faire pardonner son odieux comportement ? Je découvre que non en lisant mes mails, notamment celui de Greg qui a attaqué dès l'aube.

Objet : Votre matinée
Pour qu'elle soit belle et croustillante comme vous, quelques friandises pour votre bouche exquise.

Hum. Je sens qu'il ne va pas me lâcher ; c'est tellement facile que ça ne m'amuse pas. Moi qui suis habituée à courir après les garçons pendant des mois pour qu'ils finissent par m'expliquer gentiment qu'ils préfèrent rester « amis », j'ai du mal à gérer ce mini-harcèlement. Je réponds :

111

Re : Votre matinée

*Mon estomac te dit merci, mais pas ma cellulite.
Bonne journée !*

Sur ce, je cours m'excuser auprès de Magalie à qui
je n'ai rapporté aucune cassette, trop fatiguée la veille
pour en regarder une seule. J'embarque les chouquettes et un cappuccino en route pour l'attendrir. La
manipulation, c'est moche, mais je suis une fille et je
connais l'effet du sucre sur la mauvaise humeur : il la
fait fondre. Et je préfère que Magalie prenne de la
culotte de cheval plutôt que moi ; j'ai décidé de
surveiller ma ligne, à la suite de mes overdoses de Big
Mac.

J'entre dans sa cave malodorante en chantonnant un
« Bonjour ». Il fait si froid que de la buée sort de ma
bouche.

— Bonjour, Marine. Où sont mes cassettes ?

— Ah, moi, c'est Marion. Je suis vraiment désolée,
j'ai eu mes règles hier soir. J'ai eu tellement mal au
ventre que je me suis couchée à 20 heures sans avoir le
temps de les mater. Je m'y mets aujourd'hui si William
ne me donne pas trop de travail. Chouquettes ?

— Dis donc… Tu n'es pas la première à me faire
le coup du petit déj dans mon bureau, je suis moins
cruche que j'en ai l'air. Vous n'avez vraiment aucune
imagination, c'est polémique.

— Tu as raison, c'est pathétique. Toujours est-il…
chouquette ? J'ai aussi un cappuccino bien chaud, il
caille ici, je ne sais pas comment tu supportes ce froid.

— J'ai toujours un Damart Ptérodactyle sur moi, il paraît que c'est pour les grand-mères, mais je défie n'importe qui de passer huit heures ici sans en porter. C'est impossible. Autant participer à « Koh-Lanta ».

— Tu m'étonnes. Je te laisse grignoter et je remonte, parce que je n'ai que des vêtements normaux et je suis trop jeune pour mourir.

— J'attends mes cassettes ce soir. La discipline, c'est important. Sinon on ne s'en sort pas dans cette boîte, crois-moi. Avant que j'arrive, la bandothèque était un vrai champ de bataille, un canard n'y aurait pas retrouvé ses petits.

— Je n'aurais pas dit mieux. Bonne journée.

— 17 h 54, hein !

Je ne réponds pas, elle m'énerve déjà. Combien de personnes lui ont offert un dico pour Noël ? Comment fait son mec pour la supporter ? Est-ce qu'elle en a un ? Carine doit le savoir. Je fonce à son bureau, lui rappelant notre rendez-vous pro aujourd'hui.

— Si tu veux, on s'y met maintenant, j'ai un peu de temps. Prends un cahier, on va s'installer au calme dans la salle de réu.

Youpi, on va être entre nous. Je vais pouvoir la questionner sur Magalie, ma nouvelle passion dans la vie.

— Pour que tu saisisses l'envergure de ton job ici, il faut déjà que je t'apprenne comment fonctionne une chaîne de télé. Sinon tu vas t'arracher la frange.

— Ça pourrait m'aider oui, merci !

113

— Je te fais un schéma sinon tu ne vas rien piger. Et comme tu es la cinquantième personne à qui je l'explique, je vais le faire d'un seul trait. Accroche-toi à ton siège.

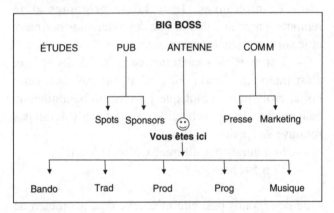

— Donc en gros : en haut, tu as le big boss. Ensuite, la chaîne est divisée en quatre grandes familles : les études qui analysent les chiffres d'audience ; la régie qui vend de la pub et fait en sorte que Nike file des milliers d'euros pour un spot de vingt secondes style « Teens Sport vous est présenté par Nike » ; la communication qui englobe le marketing et la presse. Le market s'arrange pour que notre logo soit partout : sur les CD, les affiches de tournée, voire des bus, des avions ou des fringues ; la presse drague les journalistes pour que leurs magazines disent que nos émissions sont géniales. Pour finir, il y a nous, l'antenne. Ça regroupe la bandothèque, le service traduction et doublage puisqu'on ne diffuse que des shows anglais,

114

et que les ados ont la flemme de lire les sous-titres, la production, la programmation musicale et la programmation générale, alias toi.

Trop facile, cette partie de *Dessinez, c'est gagné*. Ce qui m'inquiète le plus, c'est ma place, juste au centre, là.

— Et toi, dans cette histoire ?

— Je gère la production des bandes-annonces qui passent à l'antenne pour promouvoir nos émissions et des événements comme les Teen TV Awards, où tu as tant brillé.

— Très drôle.

— Je plaisante. Une fois par semaine, William et moi déterminons quelle bande-annonce doit être diffusée, et combien de fois par jour. Pour ça, on a créé un tableau avec quatre niveaux d'importance qui correspondent à un nombre de diffusions. Tu me suis ?

— Oui. Et ça, on va le produire ensemble maintenant ?

— Voilà. Comme tu ne connais pas encore nos priorités, tu vas m'observer, et après je te laisserai la main. C'est OK ?

— Oui.

— Des questions ?

— Oui. Elle a un copain, Magalie ?

Carine éclate de rire.

— Je vois que tu es concentrée ! Oui, Magalie se marie même l'année prochaine. Ne me regarde pas bouche bée, ce n'est pas moi qui l'épouse, et j'ignore qui est le taré qui s'y colle.

115

— Mais c'est fou. C'est juste fou. Elle se marie et moi je suis célibataire ? C'est injuste !

— Le monde est injuste, ma grande.

— Je n'en reviens pas. Sinon, pour les bandes-annonces, on se fait un tableau tout de suite ? Comme ça, je suis dans le bain.

— Mais j'ai tout prévu, ma chère. Le voilà ton tableau : en jaune fluo, les programmes qui cartonnent déjà mais dont on fait quand même la promo pour énerver les concurrents ; en vert, les nouveautés ; en rose, les programmes dont tous les Teen TV d'Europe sont obligés d'assurer la promo. Enfin, en bleu, ceux qui rentrent dans l'actualité musicale.

— Si je comprends bien, les niveaux d'importance de diffusion correspondent surtout au statut de l'émission : carton, nouveauté ou obligation.

— Exactement. Tu piges vite.

Tu m'étonnes ! J'ai un entraînement digne d'un astronaute grâce à Vincent qui s'endort toujours pendant qu'on regarde *Lost*. Du coup, j'ai dû lui expliquer le pourquoi du comment des flash-back, des ours polaires perdus sur une île déserte, du père de Jack qui revient d'entre les morts, de la fumée noire qui mange les gens et de la longévité de Jacob.

— Encore heureux, vu le temps que personne n'a à m'accorder. Je ne dis pas ça pour toi…

— Impose-toi plus, Marion ! Annonce à tes collègues que William tient à ce que tu sois rodée d'ici la fin de la semaine. Crois-moi, ils vont décoller la tête de leur ordi ! Écoute Tata Carine : il faut se battre pour exister dans cette boîte, alors bats-toi.

— Tu es vraiment une fille chouette. Vraiment.

— Je sais. Allez, on bouge. Les débiles de la pub font le pied de grue devant la porte, ils doivent avoir besoin de la salle de réunion.

En sortant, je croise le regard de Greg. Je dis bonjour à tout le monde pour cacher le fait que je ne m'intéresse qu'à lui. Carine leur lance :

— Ce n'est pas parce qu'elle est nouvelle qu'il faut la dévorer toute crue. Alors vous rangez vos yeux de pervers affamés et vous saluez la dame, avec un sourire.

À ma grande surprise, la brochette de mâles s'exécute. La tueuse en série ici, ce n'est pas moi, c'est elle.

Je passe le temps qu'il me reste avant le déjeuner à regarder les cassettes empruntées la veille pour éviter que la mamie du sous-sol me plante une aiguille à tricoter dans la gorge ce soir. Vers 13 heures, je vois que Nina, la super belle fille que Greg m'a recommandée, part déjeuner toute seule. Je prends mon courage à deux mains pour lui proposer de l'accompagner. Et elle accepte. Elle a même l'air contente.

117

15

Statut Facebook : Je mange avec le sosie de Natalie Portman. Pas trop dégoûtés, les copains ?

Nous nous posons dans une petite brasserie et commençons à papoter en dévorant une quiche aux poireaux/salade verte/Coca light.

— Alors, Marion, tu t'habitues à nous ?

— À vrai dire, ce n'est pas évident de débarquer ici. Mais je m'y fais.

— L'ambiance m'a toujours choquée, mais je crois que ça ne changera jamais. Les mecs dominent et reluquent les filles. Les filles bossent pour deux et fuient les mecs. C'est la jungle, quoi.

— Sympa. Dis-moi, je suis un peu gênée, mais… hum… voilà… je voulais savoir si tu pourrais me donner quelques conseils vestimentaires. Je me sens vraiment décalée ici. Je ne sais pas quoi porter de plus joli que mes vieilles fringues, sans avoir l'air d'aller au cocktail de l'ambassadeur avec des Ferrero Rocher plein les poches.

— C'est gentil de me demander ça, j'adore la mode !
Tu sais, ce n'est pas difficile de t'arranger tout en gardant
ta personnalité.

— Je ne suis pas certaine d'en avoir une.

— Mais… tu as des Annabel Winship aux pieds ?
C'est un super bon point. Tu peux tout porter avec ça…
elles sont magiques, ces chaussures. En fait, je pense que
ton problème, c'est surtout que tes vêtements sont trop
grands.

— Trop grands ? C'est-à-dire ?

— C'est-à-dire que tu ne connais pas ta taille. Ou tu
te vois plus grosse que tu ne l'es. Finis ta salade, je
t'emmène acheter un jean et un top. Pour commencer ton
relooking !

En cinq minutes, nos assiettes sont vides. Shopping
express, nous voilà !

Arrivées dans la boutique préférée de Nina, elle me
propose d'aller choisir deux jeans. Je m'exécute et les lui
montre.

— Marion, Marion, Marion. Tu n'es pas enceinte ?

— Non ! Je n'ai même pas de copain.

— Donc tu ne porteras pas cette taille dans les mois
qui viennent. Va faire la queue aux cabines d'essayage,
j'arrive.

Elle me rejoint avec deux autres jeans qui me paraissent ridiculement petits, et un top noir hyper beau, avec
le col coupé en oblique pour qu'il tombe légèrement sur
une épaule. Dans la cabine, j'ose à peine mettre un pied
dans le pantalon de crainte qu'il ne reste coincé au
genou. Et pourtant… Non seulement je l'enfile sans

problème, mais en plus, je l'avoue, il me fait une silhouette… potable. Avec le top, je suis même métamorphosée. Je passe de l'étudiante qui ne sait pas ce qu'elle veut à la *working girl* cool et classe.

— Vas-y, montre !

— Et voilà !

J'hésite à relever les yeux vers Nina.

— On ne te reconnaît pas ! Alors, ta taille, tu la connais maintenant ?

— J'ai toujours peur que rien ne m'aille alors je préfère prendre directement trop grand.

— Règle n° 1 : toujours essayer. On n'est jamais à l'abri d'une bonne surprise. Règle n° 2 : toujours prendre le vêtement en plusieurs tailles pour voir celle qui te va le mieux.

— Oui, chef. Je suis trop contente. Je me change et je vais payer tout ça.

Dès que nous arrivons au bureau, je ne peux m'empêcher de foncer aux toilettes pour remettre ma tenue de vraie femme toute neuve et enfourner mes guenilles dans le sac.

Nina m'attend derrière la porte et me dit :

— Demain midi, maquillage. Léger, mais il t'en faut un peu pour l'éclat. T'avais rien de prévu ?

— Non. Merci, Nina. Je suis trop contente, j'ai l'impression d'être Anne Hathaway dans *Le Diable s'habille en Prada*, tu es mon mentor !

— Avec plaisir.

Quand nous arrivons dans l'*open space* et que j'enlève mon trench, tout le monde me regarde. J'ai l'impression d'avoir intégré le cast de *Desperate Housewives*. Je souris bêtement.

✎ Statut Facebook : Toutes proportions gardées, je suis une bombe !

L'après-midi passe à toute vitesse avec les émissions que j'ai à regarder, dont certaines en accéléré parce que beaucoup se ressemblent. Un petit coup d'œil à mes mails, et c'est sans grande surprise que je lis :

Objet : Votre tenue

Je vous ai aperçue dans le couloir. Vous êtes transformée. Je suis transcendé. Accordez-moi une heure de votre temps ce soir.

Re : Votre tenue

Greg, franchement, on peut arrêter le vouvoiement ? C'est éreintant. OK pour ce soir. Mais rapidement parce que je dîne avec ma sœur et mon meilleur pote.

Re : Re : Votre tenue

Si vous y tenez... Je passe te chercher en partant.

Re : Re : Re : Votre tenue

On se retrouve à l'accueil, je connais le chemin.

17 h 50, malgré mes talons hauts, je cours rendre ses cassettes à Magalie. Je prends soin d'enfiler mon tablier plein de taches de sang/vernis à ongles, histoire de lui

121

donner une histoire à raconter à son mec ce soir. Elle m'attend avec son manteau sur le dos.

— Magalie, il est 52 ! Je suis à l'heure, je suis même en avance !

— Mais tu veux que je fasse une arrestation cardiaque ou quoi ? C'est quoi ce tablier ?

— Tu sais que je suis une tueuse, William m'a démasquée. Ton bureau est parfait pour un meurtre.

— Tu es folle. Je vais me plaindre. Ce n'est pas normal d'apeurer les gens comme ça. Tu imagines si je faisais de la papicardie ? Et puis il faut que j'y aille, je suis arrivée avec quatre minutes d'avance ce matin, je dois les rattraper. Je ne ferai pas d'heures sup !

— Ma pauvre Magalie, tu as eu peur ? Tiens, les voilà, tes cassettes.

Je profite qu'elle les compte (la confiance règne) pour vérifier ses mains : en effet, elle a une bague de fian-çailles.

— Le compte est bon. Au revoir et à demain. Et merci de laisser tes blagues pourries au vestiaire. C'est une entreprise ici, pas une boucherie.

Pas le temps de répondre, elle part sur les chapeaux de roues.

Je remonte à mon bureau, checke les mails de William (RAS, comme d'habitude) et envoie un message à Nina :

Objet : Ma tronche

Est-ce que tu aurais du mascara sur toi ? En attendant le déj de demain, il me faudrait un dépannage de dernière minute.

Elle se précipite vers moi.

— Celui-là allonge les cils, celui-ci fait quelques pâtés mais donne du volume, et le petit les sépare bien.

— Je peux les empiler ?

— Tout à fait. Par contre, quitte à montrer tes nouvelles fringues, je te déconseille de conserver ton tablier.

— Ah oui, c'est vrai. Mais il est à ma taille, tu l'avoueras. Je reviens dans trois secondes.

Direction les toilettes pour une retouche cils, un recoiffage à la main un peu raté et un dernier coup d'œil sur mon jean. Il me fait un fessier d'enfer.

— Et voilà, vite fait, bien fait.

— C'est sûr que ça change tout. Tu as l'air plus réveillée que ce matin !

— Merci pour tout. Vivement demain midi.

Avant de partir, je remplis le tableau de Carine pour les bandes-annonces et le lui envoie par mail.

Objet : Promos *on-air*, ce qui veut dire « à l'antenne »
Tu me diras si j'ai fait n'importe quoi. À demain.

16

 Statut Facebook : Vous avez demandé Carrie Bradshaw ? Ne quittez pas.

Greg est accoudé au comptoir de l'accueil, les yeux dans le vide, un sourire aux lèvres.

— Alors, tu rêves ?

— Non, je t'attends.

— Bon bah, on y va !

Je pensais qu'il me coincerait dans un bar un peu lounge avec de la musique sensuelle et des canapés en cuir blanc, mais nous finissons dans un pub australien.

— J'adore ce bar, la musique est géniale.

— Cool. Je prendrai un Coca light, s'il te plaît.

— Je t'invite.

— Ça me paraît normal.

— Tu marques un point, c'est moi qui ai proposé. Je reviens.

Pendant qu'il va chercher les verres, j'envoie un texto à ma sœur et à Vincent pour les prévenir que j'aurai un peu de retard. Je le regarde revenir avec les mains pleines : il est vraiment, vraiment, mignon. Beau même. Je ne vais pas résister longtemps.

— Alors, c'est quoi ce changement de look ?

— C'est Nina qui m'a aidée. Ça va mieux avec ma nouvelle vie, je trouve.

— Tu es très belle.

— Tu vas me draguer encore longtemps ? Comment ça se passe à partir de maintenant ?

— Je ne sais pas quoi te dire. Tu me plais, on se connaît à peine, mais je tenterais bien quelque chose.

— Quelque chose ?

— Oui. T'embrasser, par exemple.

— Tente toujours, on verra…

Pendant qu'il m'embrasse, je me dis que ce n'est vraiment pas mon genre de me laisser entreprendre par un garçon audacieux, et essaie de bâillonner ma bonne conscience. Après tout, c'est à cause d'elle si je suis seule depuis si longtemps.

— Tu ne m'as ni giflé, ni poignardé, ni étouffé avec des cacahuètes, j'en conclus que tu es d'accord avec ma proposition.

— Pour tout te dire, je pensais à autre chose. Recommence.

L'air vexé, il pose sa main sur ma joue.

— Marion, concentre-toi, il n'y aura pas de troisième essai. C'est à prendre ou à laisser.

— OK, je serai attentive à l'ensemble de ta proposition.

Son baiser est renversant. Il dure, dure, dure, c'est magique. Greg est doux, sent bon, m'enlace tendrement. Un vrai moment de bonheur, qui a malheureusement une fin.

— Alors ? On a un deal en cours ?

— Tu parles soit comme un moyenâgeux, soit comme un chef de pub. La normalité, ce n'est pas ton truc ?

— Ce n'est pas une réponse.

— On a un deal.

— J'en suis ravi.

— Mais je dois vraiment y aller. Mes copains ont cuisiné pour moi.

— Je comprends, beauté. Dans un quart d'heure, on sera parti. Parle-moi de toi.

Sans m'apercevoir que je deviens impudique, je lui fais un résumé de ma vie d'avant la télé, le lycée, la fac, mon premier amoureux, mes parents, ma sœur, mes amis. Et ça ne prend en effet pas plus de quinze minutes, ce qui est un peu démoralisant.

— En gros, voilà qui je suis. Tu en fais ce que tu veux.

— Je te prends comme tu es, Marion. Je suis très content de te connaître. On déjeune ensemble demain ?

— Non, j'ai un cours de maquillage avec Nina.

— On dîne, alors ? Tu ne vas pas te maquiller jusqu'à 23 heures ?

— Avec un peu de chance, ce ne sera pas nécessaire. Le maquillage de nuit, bien sûr. Le dîner me paraît tout à fait indispensable. J'y vais sinon ils vont me tuer.

Nous nous embrassons avec passion et je fonce vers le métro, au risque de me casser les deux genoux à

126

cause de mes chaussures. Mes joues brûlent, j'ai envie de pleurer tellement je me sens bien. Trop hâte de leur raconter ce soir.

 ## Statut Facebook :
Vive le Moyen Âge !

Les regards de mes deux colocs du moment en disent long, mon relooking fait son effet.

— Ouah ! Il y avait donc une fille cachée sous tout cet attirail de garçon manqué !

— Faut croire.

— Ça c'est une sœur ou je ne m'y connais pas. Tu me prêtes ton top ?

— Non Canouille, je ne te prête pas mon top. Il est neuf, cher et beau. Tu ne touches pas.

— T'es pas sympa.

— Voilà. Dites-moi, ça sent bon ici. On mange ? Je crève de faim.

— Pas tant que tu ne nous auras pas raconté ce qui t'a retardée.

— Rien. Le boulot.

— C'est ça… Je vois à ton sourire contenu que tu nous caches un truc.

— Tu as un mec ? C'est ça ? Tu ne vas donc pas devenir bonne sœur ?

— Non, sinon je t'aurais donné mon top. Je vous raconte en mangeant ?

127

Tant pis pour ma ligne : lasagnes et tiramisu maison, je me régale en leur parlant de mon aventure. J'y vais à fond sur les détails, du déjeuner de l'autre jour à sa merveilleuse bouche ce soir.

— Bah, ça alors. T'as un mec. Mazeltov.

— Oui, bon. Ce n'est pas comme si j'étais célib depuis dix ans non plus.

— Non… la moitié seulement.

— Toi, tu es une peste. Impossible qu'on soit de la même famille.

— En parlant de famille, j'appelle maman pour lui raconter.

— Si ça ne te dérange pas, je voudrais lui raconter mes histoires moi-même.

— Alleeez ! Steupléééé ! Moi, il ne m'arrive rien !

— Mouais. Bon, vas-y.

Pendant qu'elle téléphone, je réponds aux milliers de questions de Vincent sur le physique de Greg.

— Il est châtain avec les yeux vert et or, avec de longs cils. Attends, je me demande s'il ne met pas du mascara maintenant que j'y pense. Oh non, quand même pas. Et puis je m'en fous s'il met du mascara. Il a une barbe toute douce avec des poils roux.

— Ah, les poils roux…

— Ne divague pas, je réponds à tes questions. Il a de belles mains avec les veines qui ressortent sur le dessus et une bague au pouce. Il fait une tête de plus que moi, et ne porte pas de slim.

— Ça, c'est super important. Les mecs à slim des pubs The Kooples, c'est non. On n'est pas dans un groupe de Liverpool, là.

128

— Tout à fait. Le seul truc que je n'aime pas, c'est qu'il a tendance à s'acheter des T-shirts avec des slogans.

— C'est pardonnable s'il respecte la règle du PDBCN, plus connue sous le nom de « Pas de babos chez nous ». Autrement dit, pas de vêtements avec les mentions « Sauvez la planète » ou « Les animaux sont nos amis ».

— Ah non, ça ne va pas jusque-là ! Une autre question ?

— Oui, mais tu ne peux pas encore me répondre.

— Non, mais tu es un porc, Vincent ! Encore pire que les hétéros. C'est pas possible, ça.

— Ce n'est pas moi qui ai fait un *strike* avec deux collègues en quelques jours ma chère.

— En même temps, ce n'est pas avec tes potes gay que j'aurais pu le faire. Je vais à la cueillette là où il y a des fruits.

— Tu as raison et je t'en félicite. Dès que Nouille revient, on porte un toast à la fin de ton vœu de chasteté.

— T'es bête ! Et je te rappelle que ça, c'était à Munich.

— Encore mieux ! Vive toi !

— Bon qu'est-ce qu'elle fait Canouille, elle raconte toute ma vie ou juste ma soirée au pub, là ? NOUILLE !

— J'arrive.

— Qu'est-ce que tu fais ? Je ne t'entends plus discuter, tu as raccroché ?

— Oui, oui, j'arrive.

— Enlève mes Annabel tout de suite !

— Mais comment tu le sais ?

— Tu es ma sœur, je le sais.

— Pfff… C'est nul.

— Bon, les jeunes, moi maintenant j'ai un chéri, donc il faut que je sois bonne demain. Je vais prendre un bain et au lit. Merci pour le repas.

— La dernière fois, tu t'es déjà couchée tôt à cause de ton boulot. Tu passes ton temps à dormir.

— … ou à rêver, peut-être. J'emporte mes chaussures dans la salle de bains. On ne sait jamais avec toi.

Après une immersion délicieuse pleine de bulles à la noix de coco, je me glisse sous ma couette, un sourire béat aux lèvres. Est-ce que je serais enfin dans une bonne période ? Je pense à ma séance maquillage avec Nina, ma nouvelle cops du bureau, et à mon *boyfriend* médiéval. Puis le visage de William exigeant son thé vient tout gâcher. Vite, dormir.

130

17

Les jours se suivent et ne se ressemblent pas. Ce matin, au lieu des chouquettes, c'est un monticule de dossiers qui m'attend sur mon bureau. Avec des feuilles s'échappant de tous les côtés, et un William levé du mauvais pied.

— Bonjour William, ça va ?

— Salut. Bon, j'ai du retard dans le classement des factures de nos acquisitions. Tu sais ce qu'est une acquisition ?

— Quelque chose qu'on achète ?

— Voilà miss Maligne, ce sont les émissions qu'on a achetées durant les trois dernières années. Je n'ai absolument pas le temps de les classer, donc à toi de jouer.

— Je les classe dans quoi ?

— Va voir Magalie. Elle est censée s'occuper des fournitures quand elle a du temps, et je sais qu'elle en a. Tu lui demandes des classeurs et un machin pour trouer les feuilles, et tu me ranges tout ça par ordre chronologique, et par client.

131

— Tu veux ça pour quand ?

— Asap. Tu sais aussi ce que ça veut dire ?

— *As soon as possible*. Au plus vite. Rapidement, quoi.

— Ça y est, elle se réveille un peu. Cet aprèm, tu devrais en avoir vu le bout. Allez, ciao.

Encore Magalie. Chaque jour, William va me trouver une raison d'aller l'écouter écorcher notre langue. Direction la cave, donc. Mais aujourd'hui ni café ni viennoiserie, finies les B.A.

— Bonjour, Magalie.

— Encore toi !

— Elle avance bien, ton écharpe ?

— C'est un pull pour mon chien. Il s'appelle Blanchisserie. Parce qu'il est blanc.

— Ouah ! c'est malin, ça.

— Il va être trop mignon là-dedans.

— Comme je n'ai pas l'impression de te déranger à un moment inopportun, pourrais-tu me dire s'il te plaît où trouver des classeurs ? Des gros.

— Oui, le coup de la manutention, merci bien ! Comme si je n'avais pas assez de vin sur la planche, ils m'ont collé cette tâche en plus, et évidemment sans augmentation. Ils n'ont aucun respect pour l'être humain, c'est vraiment désopilant.

— Désespérant.

Tant pis pour cette promesse faite à moi-même de ne pas la corriger, c'est trop insupportable.

— De quoi ?

— Rien. Les classeurs ?

— Dans le placard bleu derrière toi, deuxième étrangère. Mais avant, il faut que tu remplisses le morfulaire.

Elle me tend une feuille rose où je dois préciser qui je suis, pour quel département je travaille, et à quoi va servir ce que je prends. Il ne manque que ma taille et mon poids.

— Le formulaire, c'est valable pour toutes les fournitures ?

— Oui.

— Même un stylo ?

— Comment ça « même un stylo » ? Mais tu veux couler la boîte ? Il est de mon devoir de surveiller la gestion de cette entreprise et elle commence là, ma chère, dans le placard à fournitures. Je suis solitaire de mon employeur, c'est grâce à lui que j'ai un repas sur ma table tous les soirs. Même si, encore une fois, une augmentation n'eût pas été de raffut.

— OK, pardon, je remplis ça tout de suite, je ne voudrais pas que tu t'énerves.

— Merci. Eh ben dis donc, six classeurs ! T'y vas pas de main forte.

— William a trois ans de retard dans le classement des contrats d'acquisition. Tu vois ce que je veux dire ?

— Bien sûr, je travaille dans une chaîne de télévision, je comprends tout ce que tu dis. Tu me prends pour une bécasse ? Attrape tes classeurs et laisse-moi travailler. J'ai un tricot à finir.

— Dommage que ce ne soit pas un dico que tu aies à finir.

— De quoi ?

— Non rien. Tricote.

Ma pile de classeurs sur les bras, je tente de rejoindre mon bureau sans tomber ni casser quelque chose. Une fois assise, je m'aperçois que je n'ai rien pour trouer les pages et souffle assez bruyamment pour que Saskia me tende sa trouilloteuse sans même me regarder.

— Merci, Magalie m'a tellement tapé sur les nerfs que j'en ai oublié ce que j'étais venue chercher dans sa cave.

— Tu vois le placard derrière Carine ?

— Oui.

— Il est plein de fournitures. On va se servir quand elle n'est pas là, ce sont les mêmes clés. Elle ne se rend compte de rien, c'est un petit jeu entre nous. Mais je te rassure, tu n'y es pas allée pour rien, on n'a pas de classeurs.

— Je commence à vous adorer ici.

Elle me sourit et me souhaite bon courage.

Les dossiers de William sont classés dans le désordre. Tout est mélangé, plié, taché de thé. J'y retrouve des papiers disparates : des mails imprimés, des articles provenant de la revue de presse de la chaîne, des graphiques incompréhensibles et, enfin, une lettre de démission. Sa lettre de démission, datée de l'année précédente ! Cet imbécile a dû se dégonfler au dernier moment et la planquer dans la première pochette qui passait. Je mets discrètement la feuille dans mon sac : on ne sait jamais, dans ce milieu de requins, ça peut servir.

Le tri par clients me prend un temps fou, et je sens la folie atteindre mon pauvre cerveau quand je comprends que certaines factures sont présentes en deux, trois, parfois quatre exemplaires. William doit avoir un toc avec les photocopieuses. Trois heures après avoir commencé, la douce voix de la fée Nina vient me sauver.

— Élève Marion, il est l'heure de votre cours de maquillage.

— Ma sauveuse !

Direction Sephora, où elle me tient une leçon élaborée : quel mascara tient le mieux quand on a tendance à se toucher les yeux toutes les cinq minutes ; quelle poudre est assez discrète pour être invisible ; quelle couleur de rouge à lèvres va avec mes yeux, avec une option pour la journée et une pour le soir. Elle termine par son truc préféré : le recourbe-cils.

— Même si tu mets du mascara, ce petit engin de torture va te changer la vie. Il te suffira d'un regard pour avoir un deuxième pain au chocolat gratuit à la boulangerie.

— Tu manges des pains au chocolat ?

— Un chaque matin. Faut pas déconner non plus.

— Tu es officiellement mon idole.

— N'importe quoi. Pour finir, je te conseille ce spray indispensable pour les cheveux. Ça sent bon, ça fait briller, c'est formidable. Allez hop, on va grignoter et après je te maquille dans les toilettes.

— Ça marche. À tableeee !

À ma grande surprise, le top model Nina aime manger. Et elle *sait* manger. Pas moi. Je mange n'importe quoi, n'importe quand. Alors que nous déjeunons au restaurant libanais, elle me donne des conseils précieux. Je suis dégoûtée de ne pas avoir pris de carnet pour noter. Après un cours complet sur le B.A.-BA de la diététique, je décide d'en apprendre un peu plus sur elle.

— Dis-moi, quand es-tu devenue une spécialiste des associations de lipides et du maquillage ?

— C'est tout simple. Quand j'étais plus jeune, j'étais enveloppée. Très enveloppée. J'ai eu une sévère crise d'acné, et des années sans amoureux à regarder mes copines s'éclater. J'ai vu plusieurs diététiciens, et j'ai passé mes soirées sans *date* à lire des bouquins sur la bouffe. Depuis, je fais juste attention.

— Juste attention ? Mais… tu es parfaite !

— Pour être honnête avec toi, et quitte à paraître fleur bleue, je veux rester au top pour mon homme. Je suis folle de lui depuis que j'ai douze ans. On était dans la même école. Il a fini par craquer quand je suis arrivée à bout de mes boutons et de mes kilos. On ne s'est jamais séparés depuis notre premier baiser, à dix-sept ans. C'est l'homme de ma vie, je veux qu'il soit toujours fier d'être avec moi.

— Nina, tu es adorable, patiente, intelligente, compréhensive ! Je ne vois pas pourquoi un mec te quitterait pour quelques kilos de trop.

— C'est un problème de confiance en moi. Je n'arrive pas à le régler, alors je fais ce que je peux.

J'ai du mal à croire qu'une fille comme elle ait peur qu'un mec se lasse. Personnellement, je l'envie de cumuler autant de qualités.

— Maintenant qu'on a passé la minute psycho, que dirais-tu d'un make-up rapide aux toilettes avant que nous retournions à nos passionnants boulots respectifs ?

— Totalement partante !

Quand elle dit « make-up rapide », Nina ne rigole pas. En trois minutes, mon visage a juste l'air plus... humain. Mes cheveux bougent dès que je remue la tête, sans l'aide d'un ventilateur. Ils ont même l'air plus propre. Je devrais adopter cette fille pour qu'elle soit toujours avec moi et évite à mon corps et mon visage les multiples humiliations que je leur impose par manque de goût et de patience.

— Nina, tu es une magicienne !

— Un peu. Mais maintenant que tu m'as vue faire, tu t'y obligeras tous les jours. Et n'oublie pas de te démaquiller le soir, parce que...

— Oui, maman, je sais.

— Bien. T'as pas huit cent mille papiers à trier, toi ?

— Argh. Tu casses l'ambiance.

137

18

Statut Facebook : C'est vraiment l'éclate la télé, on trie des papiers toute la journée.

De retour au bureau, je regarde mes mails et ceux de William. Miracle : il en a un urgent. Un rappel pour une réunion dans une boîte de production à 16 heures. Et comme le dit avec tact notre big boss, « il ferait mieux de ne pas foirer s'il veut encore avoir un job demain ». Hum, je vois que ses lacunes professionnelles sont connues au plus haut niveau, c'est assez plaisant. Je lui envoie un texto court et clair, comme il me l'a demandé : *« Rappel : Réu chez ProProd. 16 heures. Si loupée, viré. »*

Il n'appréciera pas l'humour, mais il lit ses mails autant que moi, donc ce n'est pas comme si j'avais inventé la menace, si ironique soit-elle. Mais je m'en fous, parce que, ce soir, j'ai un dîner avec un garçon. Mieux, avec mon mec. La pensée de ses baisers va m'occuper l'esprit pendant que je termine mon marathon administratif.

138

Après des millions de trous dans les factures, trois poubelles pleines de doublons prêts à être recyclés, des dizaines d'intercalaires écrits à la main, et une ou deux crises de nerfs, ces trois années de retard sont rattrapées. Je fais un peu de zèle en demandant à la comptabilité de me fournir les doubles qu'ils ont et les preuves de paiement pour croiser les informations et m'assurer que la chaîne ne doit de l'argent à personne. William va découvrir que j'ai un cerveau et que je peux servir à des choses plus intéressantes que ranger des factures dans l'ordre chronologique et faire du thé.

18 h 50. Je passe aux toilettes pour un dernier check. Tout va bien, je suis regardable. Greg m'attend avec un grand sourire, comme un môme qui aurait fait une bêtise pas trop grave et dont il serait presque fier. Il m'embrasse fiévreusement, ses bras autour de ma taille. Moment de délice, j'avoue que j'ai eu peur pendant la nuit qu'il ait finalement changé d'avis et me dégaine le fameux « Je me suis un peu emballé, restons amis ». Non, je lui plais encore. Il sort un foulard de son sac et me cache les yeux, puis pose le casque de son iPod sur mes oreilles. J'ai l'impression d'être Sophie Marceau dans *La Boum*. Elle avait une frange d'ailleurs, si je me souviens bien. Il attrape ma main et je le suis sagement. Un mec plein de surprises, ça me plaît. Nous prenons le métro (les gens doivent halluciner en me voyant prête à éclater une *piñata* avec mes yeux bandés), puis nous marchons et embarquons sur de multiples escalators. La sensation est totalement déstabilisante quand on est dans le noir complet,

je dois ressembler à un *bidibulle* vacillant. J'entends une jeune fille nous accueillir en nous demandant si nous avons une réservation, puis nous guider à notre table. Enfin, j'ai le droit de voir ce qui se passe autour de moi. Et c'est grandiose.

— Surprise ! Qu'est-ce que tu en penses ?

— Ouah ! C'est magnifique. Magnifique. Je ne trouve plus mes mots. Hi, hi, hi !

Je glousse comme une dinde devant le spectacle : nous sommes au sommet du Centre Pompidou, *Chez Georges*, au cœur de Paris. À travers les vitres immenses, je regarde ma ville adorée et tombe d'accord avec le cliché : c'est ro-man-ti-que.

— Tu ne pensais pas que je dégainerais l'artillerie lourde au premier rendez-vous, hein, poupée ?

— C'est notre deuxième rendez-vous, mon cher. Hi, hi, hi !

— Oui, bon… Alors princesse, heureuse ?

— Très. Hi, hi, hi. Il faut que j'arrête de rire bêtement. Pardon.

— C'est très mignon. Très, très mignon.

Notre dîner est à la hauteur du lieu. Greg m'enivre. Il sourit en permanence, veille à ce que je ne manque de rien, ne regarde pas les serveuses chaque fois qu'elles passent près de nous, malgré leur beauté étourdissante, et déborde de sujets de conversation. Alors qu'il m'aide à mettre mon trench en sortant, il me murmure à l'oreille :

— J'ai envie de passer la nuit avec toi.

— Hum… Je ne sais pas trop, Greg. Ça va un peu vite pour moi, là. J'aimerais qu'on apprenne à mieux se connaître avant de…

— Marion, regarde-moi dans les yeux. Je sens que quelque chose de très fort est en train de naître entre nous. Ça ne m'est jamais arrivé. Fais-moi confiance. Ne me laisse pas tout seul.

— Ce n'est pas que je ne te fais pas confiance, c'est juste que…

Il pose un doigt sur mes lèvres.

— Beauté, laisse-toi aller. Viens avec moi.

Il me planque les yeux et les oreilles à nouveau. Je ne sais pas ce qui me prend, mais je le suis. Dès que nous arrivons dans ce qui doit être son appartement, il m'embrasse dans le cou, ôte mon trench, mon pull et s'attaque à mon jean. Trop impatiente de voir son intérieur, j'ôte le foulard. Le choc.

— Un hôtel ? Tu m'as emmenée dans un hôtel ? Comme une…

— Comme une fille qui me rend fou.

— N'essaie pas de me retourner le cerveau.

Sans m'écouter, il me serre contre lui, me caresse les cheveux. Dans ma tête, tout va trop vite, je ne sais plus quoi faire. Il me plaît tellement et je ne suis plus une gamine, ce n'est pas comme s'il me forçait. Mais pour quel genre de fille vais-je passer ? Et si, pour une fois, je me faisais plaisir ? Ce n'est pas comme à Munich, il a l'air de tenir à moi, il me court après depuis des jours. Quand même… un hôtel ? Chut ! Je penserai à tout ça plus tard.

141

Il continue à m'effeuiller, me répète que je le rends fou, complètement fou, qu'il attend ce moment depuis notre première rencontre, que je ne suis pas comme les autres. Il me porte et m'allonge sur le lit. Jamais il ne me quitte des yeux.

— Tu peux encore dire stop, Marion. Je ne veux pas te forcer.

— Viens là.

Son corps contre le mien me donne des frissons insensés, je n'ai pas connu cela depuis des siècles. Je m'abandonne à lui, oubliant où nous sommes, qui nous sommes. Une heure plus tard, alors que je me rhabille dans la salle de bains, je me regarde dans le miroir. Aucun regret. Je suis bien.

Je me sens entière. Enfin.

Statut Facebook : Toujours être épilée le lendemain d'un premier baiser.

Ce rendez-vous est suivi de plusieurs autres. Cet hôtel, cette chambre, nous allons la fréquenter pendant des semaines, parfois le matin avant d'aller au bureau, parfois à l'heure du déjeuner, parfois toute une nuit. Greg veut que notre relation soit « spéciale ». Il ne veut pas que l'on dîne l'un chez l'autre devant la télé, ni que l'on aille se cacher au cinéma pour finir avec les mains glissées sous les vêtements. Pas question non plus que nos collègues soient au courant. C'est notre histoire, notre beau secret.

Je bois ses paroles. J'adore nos rendez-vous. Je mène une seconde vie, après tant d'années de métro/boulot/dodo. J'accepte de ne pas le présenter à ma sœur et à mes amis, même si ça me démange. Greg me couvre de cadeaux, m'invite à des concerts, paie tous nos dîners au resto, les *room services*. Quand nous ne passons pas la nuit ensemble, il m'envoie des mails et des textos, me dit que je lui manque. Et c'est clairement le mec le plus beau avec qui je sois sortie. Je me demande ce qu'il peut trouver à une fille comme moi, mais j'apprends à faire taire mon cerveau inquiet. Pour lui, je veux cesser de fuir une belle histoire juste parce que j'ai peur, je baisse la garde. Nos nuits sont torrides, j'ai parfois honte des choses folles dont je me révèle capable. Je suis à sa merci… Mais c'est tellement bon.

Des semaines magnifiques où je suis sur un petit nuage.

19

Statut Facebook : Life is gooood !

Je n'ai jamais été aussi heureuse. C'est un peu comme revivre Noël tous les jours — sans jamais s'en lasser. J'ai l'impression d'être une vraie princesse. Greg n'est pas comme les autres (je le sais, j'ai les moyens de comparer !). Il m'écoute, même quand je lui raconte pour la quinzième fois comment j'ai découvert Pearl Jam devant Teen TV en 1993. Même quand je parle de mes ex et de mon envie de leur arracher les veines avec un coupe-ongles, des engueulades de mes parents, de mon obsession pour les chaussures d'Annabel Winship… Il m'en offre d'ailleurs trois paires. Je ne sais pas combien il gagne, et il a la décence de ne pas me le dire (l'aime-rais-je encore si je comparais sa fiche de paie à mon pauvre petit salaire de fille prête à tout pour travailler à la télé ? Oui, bien sûr. Mais cela n'arrangerait rien à mes complexes !).

Avec ma délicatesse habituelle, je ne peux m'empê-cher de piquer des crises pour qu'il accepte de rencon-trer ma sœur et mes amis. Il est clair que ma méthode ne marche pas du tout.

— Marion, tout arrive en temps et en heure, mais pour le moment c'est *notre* histoire. Il n'y a rien de plus dangereux pour une belle relation que de l'exposer à la terre entière. Profite de ce que nous vivons. Ça ne t'excite pas que ce soit secret ?

— Si, si. Mais je n'ai pas l'habitude des cachotteries et tout mon entourage m'interroge à ton sujet. Sans compter nos week-ends : ça ne passe pas inaperçu, ces départs sur un coup de tête.

— En parlant de week-end, prépare un sac, on décolle vendredi soir.

— On décolle ? Pour où ?

— Tu verras à l'aéroport… On prendra un taxi du bureau. Discrètement.

— Tu es vraiment mon prince charmant ! Comme dans les contes de fées. Comme sur les gâteaux Prince, aussi. Mais sans la coupe de cheveux du mec, ni le cheval.

— J'ai peur des chevaux.

— Tu es charmant comme prince, quand même.

Des week-ends romantiques, nous en avons eus partout : Rome, Londres, Varsovie, Amsterdam, Madrid et même New York… Je n'ai rien vécu de plus excitant qu'un aller-retour pour la Grosse Pomme en quatre jours. Pas le temps de dormir, pas le temps de s'ennuyer. Juste des balades romantiques, des nuits de sexe, des dîners dans des parcs illuminés. À Rome, Greg m'a offert des robes hors de prix que je n'osais pas porter de peur de les froisser. À Varsovie, il m'a fait visiter la ville, *by night*, dans une limousine. À New York, il m'a emmenée au sommet de l'Empire State Building et, là, il m'a enlacée comme dans les films. Qu'est-ce que j'ai fait pour mériter un amoureux pareil ?

Un soir, alors que nous venons de faire l'amour dans un hôtel parisien avec des boules à facettes (!) au plafond et une baignoire dans la chambre, Greg reçoit un texto qui semble le mettre mal à l'aise. Pour ne pas me déranger — je commençais à somnoler —, il va répondre dans les toilettes. À son retour, je vois bien que quelque chose ne va pas.

— Un problème ?

— Non, rien, bébé. Tout va bien.

— Ça n'en a pas l'air. Dis-moi ce qui se passe.

— C'était ma mère, mon père est tombé dans l'escalier et s'est cassé une jambe. Mais je ne peux pas l'aider tout de suite, j'irai le voir demain.

— Ta mère t'envoie des textos ? Elle ne t'appelle pas ? Même pour une *news* pareille ?

— Elle est super fière d'être capable d'écrire des SMS !

— Tu es certain que tu ne veux pas aller voir ton père ? Tu devrais être à ses côtés, non ?

— Nous ne sommes pas une famille comme ça. On se parle peu, on se voit le moins possible. Ma mère me tient juste au courant.

— OK. Si tu le dis… Je nous fais couler un bain ?

Un nouveau texto arrive, il le lit et n'y répond même pas.

— Toujours ta mère ?

146

— Oui. Mon père veut que je lui apporte *L'Équipe* demain matin à l'hosto. Alors, ce bain ?

— Ça arrive… En attendant, que dirais-tu d'une petite…

Pas le temps de finir ma phrase, mon chéri est déjà en pleine action. Il a une capacité hors du commun à oublier le reste du monde pour se concentrer sur nous. Au début, je me demandais si cela signifiait qu'il n'avait pas de cœur. Ça ressemble tellement peu à ma façon de fonctionner que j'ai trouvé ça louche. Comme s'il avait honte de moi. Mais, au fil du temps, j'ai appris à apprécier nos moments ensemble, sans me poser de questions. Et pour ce qui est d'avoir honte de moi, je me dis qu'avoir retrouvé ma dignité amoureuse a fait disparaître mes kilos superflus et m'a forcée à prêter attention à mon look… Ce n'était pas du luxe.

Greg est un garçon imprévisible, parfois parano (il regarde dans tous les recoins d'un restaurant, comme si quelqu'un le suivait), parfois aventureux (les quelques *quickies* que nous avons partagés dans les toilettes du bureau me le confirment). Peu importe : j'aime tout chez lui. Il me suffit de recevoir un mail de lui pour sentir des fourmis me parcourir, des doigts de pieds à la racine des cheveux. Il a un pouvoir mystérieux sur moi. Dès qu'il me caresse le corps, dès qu'il me murmure que je suis belle et douce… je me mets à rougir, je ris bêtement, je m'étire comme un chat pour avoir l'air plus mince (ça marche) et me love contre lui.

Aucun garçon avant Greg ne valait le coup. Des aventures minables, voilà ce que j'avais vécu. Des histoires ratées qui auraient pu me dégoûter de l'amour pour l'éternité. Quand j'y pense, j'ai presque envie de leur envoyer un mail, à ces minus qui ont traversé mon existence antérieure. Leur raconter à quel point je suis désormais heureuse et sexuellement épanouie. Leur dire qu'avec Greg, et seulement avec lui, je revis. Oui. Si j'avais du temps à perdre, je leur enverrais des mails. Mais j'ai trop de boulot, là.

Après quelques mois, les mots magiques sont enfin sortis de la bouche de mon amant. Il était temps, parce que je retenais les miens depuis trop longtemps.

— Je t'aime, Marion.

— Quoi ?

— Je t'aime.

— Tu ne vas pas changer d'avis ?

— Non, ma belle. Crois-moi.

— Je vais essayer de ne pas flipper, promis.

— C'est tout ce que tu trouves à dire ? Je viens de te faire une déclaration, là !

— Je sais, je sais. Tu as signé le plus gros *deal* de ta carrière, mon chou. Je suis toute à toi.

Toute à lui ? Ma pauvre Marion…

20

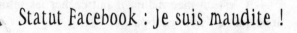 Statut Facebook : Je suis maudite !

— Marion, je peux te parler ?

— Je termine le rapport hebdo sur les acquisitions et j'arrive.

— Tout de suite, Marion.

— J'ai fait une connerie ?

— Viens.

Carine nous enferme dans la salle de réunion, le visage grave. Cela fait maintenant six mois que je travaille chez Teen TV et je ne l'ai jamais vue comme ça.

— Qu'est-ce qui se passe avec Greg ?

— Hein ? Greg ? Rien. Pourquoi ? De quoi tu parles ?

— Je vous vois beaucoup ensemble.

— Oui, on s'entend bien. On déjeune de temps en temps. Normal, quoi. Comme avec vous.

— Marion… Tu couches avec lui ?

— Tu es violente, parfois.

Son regard m'inquiète. J'ai l'impression d'avoir une aventure avec un tueur en série, violeur de

149

grands-mères et fan de séries de science-fiction des années 1980. Un fou, un vrai.

— On a un truc, oui. Mais je suis grande, Carine, je sais ce que je fais.

— Non, tu ne sais pas. Il est avec quelqu'un.

— Quoi ? Mais il ne m'en a jamais parlé. Tu es sûre ?

— C'est un mec malin, il sait cacher les informations qui ne l'arrangent pas.

— Je ne te crois pas.

— Marion. Poulette. J'ai l'air de rigoler, là ?

— Je n'en reviens pas. C'est pour ça qu'il voulait que tout reste secret ! Notre beau secret… « Comme dans un rêve », il disait. Mais j'ai la poisse ou quoi ?

Les larmes me montent aux yeux, j'ai la tête qui tourne et la nausée. Je me sens stupide. J'ai vraiment cru à son baratin. Stupide. Je suis stupide. Carine pose la main sur mon épaule.

— Il faut que je te dise autre chose.

— Quoi ? Je suis virée en plus, c'est ça ? Je suis en plein cauchemar ! Je vais faire une descente d'organes.

— Non, tu n'es pas virée. Écoute, Marion, je suis ton amie, je ne peux pas te laisser dans l'ignorance.

— Pourquoi j'ai l'impression que tu vas me dire un truc atroce ?

— Parce que c'est ce qui va se passer. Tu n'es pas la première à qui il fait ce genre de plan. Il y en a eu d'autres dans la boîte.

— QUOI ? Je veux dire… QUI ? À qui a-t-il déjà fait ce plan ?

150

— Je préfère ne pas te le dire. Ça ne sert à rien. Je veux juste que tu respires un grand coup, et que tu lui dises d'aller se faire voir.

— Tu m'étonnes… Mais pourquoi il fait ça ? Je suis un jeu pour lui ? Il a fait un pari avec ses potes ?

— C'est un con. C'est tout. Tu es mal tombée. Je peux aller lui casser la gueule si tu veux, mais je pense que c'est à toi de t'y coller. En tout cas, on est avec toi, Nina, Saskia, Frank. On est là.

— Ils sont au courant ?

— En fait, c'est Frank qui vous a vus ensemble. Il a hésité à nous prévenir, il est du genre discret. Mais comme il était au courant pour les autres filles, il a lâché le morceau.

— Il a bien fait. Vraiment. Je vais lui trouer la peau à l'autre Don Juan de mes deux. C'est une pourriture. Mais tout le monde sait ce qu'il fait ici ?

— Non. Personne ne reste assez longtemps pour bien connaître les gens… Moi-même, je n'ai rien vu à ton sujet. Enfin, si, j'ai bien remarqué qu'on déjeunait moins ensemble, que tu avais la tête ailleurs. Mais j'ai pensé que tu nous en parlerais quand tu en aurais envie.

— Il m'a bien eue avec ses yeux en or et sa barbe rousse ! Comment je vais digérer un coup pareil ? C'est hallucinant. Et sa copine, tu la connais ?

— Je l'ai croisée à une soirée, elle est jolie, sympa. Mais surtout naïve : son mec n'est jamais joignable, il a des réunions à des heures impossibles, et elle ne se doute de rien.

— Ce n'est pas sa faute. Tu sais… à quel point… c'est un bon menteur… et encore plus… dans l'intimité. Il m'a vraiment… laissée croire… que j'étais…

Les sanglots me coupent la parole. Carine me prend dans ses bras comme une gamine de cinq ans dont on aurait cassé le jouet préféré. J'ai envie de tout balancer contre les murs.

— Il est 18 heures, rentre chez toi, convoque tes copines, parle avec elles. Dis à ton pote Vincent de dormir chez toi. Ne reste pas seule. Demain tu auras la tête plus claire. Si l'autre baratineur essaie de te contacter, ne réponds pas. OK ?

— Oui. Je finis quand même le rapport hebdo avant de partir et je m'arrache. J'ai trop honte de moi.

— Aucune raison.

— Ouais. Alors disons que… j'ai vraiment envie de prendre une douche. Je me sens sale, là.

— Commence par te débarbouiller, ton mascara n'est pas si *waterproof*.

— Ce n'est pas un problème vu que je vais rarement à la piscine… Celui-là, il est surtout fait pour allonger. Mais qu'est-ce que je raconte ? Tu me fais dire n'importe quoi ! Je débloque.

— Au moins, tu souris. Allez courage.

— Je ne sais pas encore comment, mais je vais lui régler son compte.

Statut Facebook : Je veux mourir.

Ma sœur, Béné, Sev, Anna et Vincent répondent tous à l'appel. Ils débarquent chez moi les uns après les autres avec assez de vivres pour qu'on ne manque de rien si une guerre éclate. Enragée et triste à la fois, je leur raconte toute l'histoire.

— Je t'avoue que je trouvais bizarre que tu ne nous le présentes pas, marmonne Vincent.

— Il m'a embrouillée avec ses histoires de relation magique qu'il fallait qu'on garde précieusement pour nous. Je suis toujours tombée sur des mecs étranges, alors ça ne m'a même pas choquée et…

Anna m'interrompt :

— Qu'est-ce que tu vas faire ? Tu ne peux pas juste lui dire que c'est fini, il faut le castrer !

— Anna, non, c'est totalement illégal de castrer les enfoirés. Mais je vais songer à une vengeance, ne t'inquiète pas.

— Quand je pense aux autres filles, dit Sev. Il est malin, lui, vraiment. C'est un danger national.

— Non mais, on s'en fout des autres filles ! C'est ma sœur qui s'est fait avoir ! Faut qu'on le chope, qu'on lui mette une cagoule, qu'on le balance dans une fourgonnette et qu'on l'abandonne dans une forêt, à poil. C'est tout ce qu'il mérite.

— Si on pouvait penser à un truc qui ne me fasse pas atterrir chez les flics, ça m'arrangerait. D'ailleurs, il faut que la vengeance vienne de moi. Il va payer. Bon, on dîne ?

— D'abord on trinque à sa future castration !

153

— Non, Anna, on ne le castrera pas ! Mais oui, on trinque à son retour de bâton. Il va le sentir passer, je vous le jure.

— Tu ne crois pas qu'il faudrait prévenir sa copine ? demande Vincent.

— Je me suis posé la question… La réponse est non, mille fois non. Que je lui fasse du mal à lui, c'est mérité. Mais à elle…

— Tu m'étonnes. Moi, quand Jacques m'a trompée, j'aurais préféré tout ignorer. Après, c'est irrécupérable. La preuve, j'ai essayé mais on n'est plus ensemble.

— Je suis désolée que ça te rappelle de mauvais souvenirs, Béné, dit Vincent. Mais c'est différent : Jacques a couché une seule fois avec une pouf, et il était bourré. Tandis que Greg ne sera jamais fidèle. Imagine qu'ils aient des gosses ?

— Je suis d'accord avec Vincent, décrète Anna. Il faut avertir sa copine !

Je soupire :

— Il y a une fête pour les résultats d'audience la semaine prochaine. Elle sera sans doute là, je verrai comment je le sens.

— On peut venir ? demande Vincent.

— Non, c'est réservé aux salariés et à leurs conjoints.

— Tu peux dire que je suis ton mec. Je m'habillerai en hétéro, promis. Avec des fautes de goût et tout le bazar.

— Oh oui, il faut que Vincent soit là pour surveiller et nous raconter !

— OK. Vincent, tu es mon *date*. Mais je te préviens, avant de faire la fête il y a le discours de mon boss, et c'est vraiment une grosse punition.

— Je résume : tu mets au point ta revanche, j'assiste à la soirée avec toi la semaine prochaine, on trouve sa copine et on décide si elle doit le savoir ou pas, tu me montres le Greg en question pour que j'aie au moins le plaisir de lui balancer un verre sur la tronche, et voilà. Et maintenant, qui veut de ma délicieuse quiche chèvre-courgettes-champis ?

— Je vais pleurer un coup dans ma chambre, je reviens.

J'ai beau tenter de garder un simili sourire et jouer les *warriors*, j'ai le cœur en miettes de pain au chocolat.

21

Statut Facebook : J'aime mes amis.

Le lendemain, mes collègues m'ont préparé un petit déjeuner remonte-moral à la cafète. Frank — le garçon que j'avais pris pour un mort le premier jour et qui vivait caché derrière les plantes vertes — ne nous quitte plus. C'est lui qui s'est chargé des cafés. Il s'est un peu embrouillé les pédales au Starbucks entre les Mocha blanc, les Chai Latte et autres, mais il a assuré. Saskia a fait un gâteau au fromage blanc 0 %, Nina a apporté des fruits et Carine des tablettes de Galak. Personne ne me parle de Greg. Frank nous raconte ses vacances catastrophiques au Mexique : il a perdu sa valise, dormi dans un taudis prétendument quatre étoiles, rencontré une jolie fille dont les mains se sont baladées dans ses poches et, pour finir, il a loupé son avion de retour à cause d'un chauffeur de taxi à moitié aveugle. Ce type sait raconter des histoires, tout le monde se marre. Même moi. J'en oublie presque ma déprime.

Arrivée devant mon ordi, je ne peux plus l'éviter : un mail de Greg m'attend.

Objet : Mystère

T'étais où hier, princesse ? J'ai essayé de te joindre, j'avais trop envie qu'on se retrouve dans le petit resto de l'autre fois. Ça va, t'as bien dormi ? Je t'ai manqué ? Ça te dit, un petit câlin dans notre planque magique ? J'ai bien envie de me glisser entre tes jambes.

Et moi, j'ai bien envie de vomir. Là, sur mon bureau. Pour me vider de tout le mal qu'il me fait. Mais ce n'est pas le moment : William se plante devant moi avec son mug.

— Salut, Marion. Tu as une sale mine, tu dors parfois ? J'ai besoin du dossier sur la chaîne qu'on lance en août, je t'avais demandé une présentation PowerPoint, elle est prête ?

Sans répondre, je prends son mug et lui tends son dossier, bouclé depuis des jours. Je bosse, moi.

— Va préparer mon thé, je vais mater mes mails.

Je sens qu'il me regarde de travers. S'il ose me sortir une remarque, non seulement son thé sera bouillant, mais il refroidira sur son pantalon.

Quand je reviens avec sa commande, il fait semblant de répondre à des trucs importants en tapant nerveusement. Je suppose que c'est surtout moi qui l'énerve. Pas de chance, il m'énerve aussi. Surtout aujourd'hui.

— Tiens, William, voilà ton thé. Tu as fini avec mon ordi ? J'ai un document à terminer pour la prod.

— Quel document ?

— Le tournage de lundi. Notre nouvelle émission. Tu t'en souviens ?

— Baisse d'un ton, je suis ton boss. Bien sûr que je m'en souviens. Je ne savais pas que tu travaillais dessus.

— C'est important de bosser main dans la main avec la prod. Au final, c'est nous qui calons la diffusion de l'émission, non ?

— Oui. Vas-y, fais ton truc, je pars en…

— Rendez-vous extérieur. Pas joignable. Texto uniquement.

— Ça ne me plaît pas du tout, la façon dont tu me parles, Marion. Mais je n'ai pas le temps de t'engueuler, je suis en retard.

— Tu as des remarques sur mon travail ?

— Non. Mais je ne vois pas le rapport.

— Je suis ici pour bosser. Pas pour être gentille. J'accepte toutes les remarques, même agressives sur mes erreurs professionnelles, mais, pour le reste, on n'est pas à l'école.

— On en reparlera, Marion. On en reparlera.

— Des menaces ?

— Non. J'y vais.

— Tu ne finis pas ton thé ?

Vexé, il détale à toute vitesse. Je pense que mon temps de vie ici serait compté si je n'avais pas vu ses failles. Et su me rendre utile à tout le monde.

Je relis le mail de Greg, dix, vingt fois. Il faut qu'il paie. Il va payer. Ce mec m'a brisé le cœur, il s'est moqué de moi des semaines entières, à prétendre qu'il n'avait jamais rencontré une fille comme moi. À force de passer d'une fille à l'autre, il semble savoir

158

exactement ce que l'on a envie d'entendre, avec toujours le bon ton, les bons mots, le regard et les gestes qu'il faut. Mel Gibson dans *Ce que veulent les femmes*, c'est lui. Dans ses bras, j'avais vraiment l'espoir de me réconcilier avec moi-même...

C'est fini tout ça, Marion. Il faut frapper fort. Vraiment fort. J'ouvre son mail et lui réponds.

Re : Mystère

Tu es un porc.

Le message est court et clair, et surtout envoyé à TOUTE la société en copie. Big boss inclus. Une chose est sûre : plus aucune fille d'ici ne tombera dans ses filets.

Carine pousse un cri en le lisant.

— Meuf, t'en as dans le pantalon !

Je sais qu'il le fallait et pourtant je me sens mal. Tout le monde se tourne vers moi. Sortie toute fraîche de sa cave, Magalie se pointe devant mon bureau.

— C'est quoi, ce mail ?

— Ça me paraît clair.

— Tu sors avec Greg ?

— *Sortais*. En fait, je couchais avec lui seulement.

— C'est pour toi qu'il m'a quittée ?

— Tu couchais avec lui ? Mais tu vas te marier !

— On fait tous des erreurs, je ne suis pas une surhomme.

— Magalie, je suis désolée.

159

— Tu viens de poser une pompe dans la boîte, ça va exploser !

— Une bombe. J'ai posé une bombe, je le sais. Et alors ? Tu ne crois pas qu'il est temps que son petit manège s'arrête ?

— Je le hais. Je vais lui crever les yeux.

— Oui, avec tes aiguilles à tricoter, ça peut être sympa.

— Faut que je sorte ou je vais imploser comme une cocotte qui lutte.

Elle part en courant et laisse la place à Monseigneur Greg qui tente de rester digne, alors que tout l'*open space* a les yeux rivés sur lui — je soupçonne même Carine d'avoir une paire de ciseaux dans les mains. Frank fait craquer ses doigts et les os de son cou.

— Tu as deux minutes à m'accorder en privé ? marmonne Greg entre ses dents.

— Non.

— Marion. Tu viens de me mettre dans un pétrin dont tu n'as pas idée.

— Pas la peine de chuchoter. Tu n'as pas joué avec la bonne personne. Tu flippes ? Il fallait y penser avant. Maintenant, dégage de là.

— Tu vas le payer, Marion. Je te jure.

Frank se lève, les yeux injectés de sang.

— Elle va QUOI ?

— Je ne t'ai pas parlé, à toi.

— Mais moi je te parle. Tu te prends pour qui ? Si tu ne te tires pas, je m'occupe personnellement de toi.

— Ah oui, et tu vas me faire quoi ?

— Tu verras bien. Et si tu adresses la parole à Marion en dehors du boulot, t'es mort. Si tu la menaces encore, t'es mort. Si tu l'approches, t'es mort. En gros, t'es mort. Dégage.

Greg tape du poing sur mon bureau, je ne le lâche pas du regard.

— Greg, tu devrais déjà être parti. Tu as un bureau, non ? Et prie pour que ça n'arrive pas aux oreilles de ta copine.

— Laisse ma copine en dehors de tes conneries.

Il s'éloigne à grands pas, suffoquant presque, tapant contre les murs. J'éclate en sanglots. Carine se lève et commence à m'applaudir, suivie par les autres. Une *standing ovation* pour la fille qui a envoyé le pire mail de toute l'humanité. Nina me serre dans ses bras. Personne ne parle, mais ce n'est pas la peine.

Je ne sais pas si j'ai *bien* fait, mais je n'ai pas *rien* fait.

22

 Statut Facebook : On ne laisse pas
bébé dans un coin. Sinon, on paie.

Mon téléphone sonne et coupe court à l'euphorie
générale. C'est William.

— Allô ?

— QU'EST-CE QUE TU FOUS ?

— De quoi tu parles ?

— Tu le sais très bien.

— Ah ! Mon mail. J'en assumerai les consé-
quences. Mais, s'il y en a, je ne suis pas certaine d'être
la plus fautive.

— Ce n'est pas à toi d'en décider. Tu me fais vraiment passer pour un con.

— Tu as couché avec Greg, toi aussi ?

— Marion, ce n'est pas le moment de te prendre
pour la reine du bureau. Tu viens de commettre une
grosse erreur, et ça va me retomber dessus.

— Ne t'inquiète pas, à l'instant où je te parle, je
viens d'être convoquée par mail chez Bernard.

— J'espère bien. Tu fais vraiment n'importe quoi.
Tu prends Teen TV pour une blague ? On bosse ici !

162

Tu n'es pas là pour raconter ta vie sexuelle à toute la planète.

— JE bosse ici. TU n'es pas là.

— Je ne sais même pas quoi te dire. Tu es mal barrée. Je ne voulais pas de toi depuis le début et j'avais raison.

— Je te laisse, William. Ton patron m'attend. J'aimerais respecter l'ordre hiérarchique de cette société. Salut.

Saskia me dévisage, un sourire aux lèvres.

— Un conseil avec le big boss : regarde-le dans les yeux quand il te parle. Ne le lâche jamais. Et si tu penses avoir fait ce qu'il fallait, reste sur tes positions.

— Souhaite-moi bonne chance !

C'est la première fois que je me rends dans le bureau du boss. Mes genoux tremblent un peu, mais il est trop tard pour reculer. Sur mon passage, les gens me dévisagent… Je ne peux pas les en blâmer.

L'assistante de Bernard me fait patienter cinq minutes, parce qu'il est au téléphone.

— Je n'aurais jamais osé faire ce que tu as fait, me dit-elle. Greg a tenté sa chance avec moi aussi. Il m'envoyait des mails, m'offrait des croissants et m'invitait à déjeuner. J'avais beau lui répéter que j'avais un copain, il s'en fichait. Je crois même que ça l'excitait.

— J'ai été idiote. On verra bien si ça me coûte mon poste.

163

— Je ne te le souhaite pas. C'est dommage qu'on n'ait jamais fait connaissance... Je suis loin de tout le monde ici.

En effet, elle est installée au fond d'un long couloir qui mène au gigantesque bureau du big boss. Personne n'ose s'en approcher, de peur de croiser le grand méchant loup.

— Si je ne suis pas licenciée, on déjeune ensemble demain ? Avec ma petite bande.

— Avec plaisir. Tu peux y aller, il a raccroché. Frappe avant d'entrer et assieds-toi uniquement s'il te le propose.

Statut Facebook : Ma dernière volonté avant de mourir ? Une panna cotta au speculoos de chez Pistache Café, Paris Xe.

— Marion ? Assieds-toi.

— Merci. Bonjour.

— Je me fous de tes histoires avec Greg. Mais on est au taf ici, alors tu règles tes comptes dehors.

— Vous avez raison. Mais j'étais choquée et... je suis une sanguine.

— Sanguine ou pas, je ne veux pas de ça dans mon équipe. Je te préviens, je ne tolérerai pas de nouvel esclandre.

— Excusez-moi.

164

Je me sens rougir jusqu'aux oreilles. J'aimerais m'évanouir, mais j'ai peur de me blesser en tombant.

— Bref, Marion, je ne sais pas quoi faire de vous deux. Si je vous garde, je fais preuve de faiblesse ; si je vous vire, je fais preuve de bêtise : Greg est mon meilleur vendeur et le boulot de William est nickel depuis que tu es arrivée.

— Merci.

— Je ne suis pas en train de te complimenter. Je suis en train de décider si je te vire ou non.

— Je comprends. Je ne sais pas ce que ça vaut pour vous, mais je suis attachée à Teen TV.

— Ça vaut. Écoute, je te laisse une chance. Je vais même vous en laisser une à chacun, mais je ne veux plus de scandale. Débrouillez-vous. C'est compris ?

— Merci beaucoup. Je ne sais pas comment dire…

— Allez, file.

J'étais sur le pas de la porte quand il a ajouté :

— Au fait, Marion… merci pour la bague. Ma femme l'a trouvée magnifique.

— La bague ? Mais… c'est William qui…

— Non, ce n'est pas lui. Je ne suis pas au courant de tout dans cette boîte, mais je ne suis pas aveugle non plus. Maintenant, va bosser.

Ouffffff, je m'en suis sortie. Et avec des remerciements ! Je n'y crois pas. Sur ma lancée, je fais un détour par le bureau de la régie publicitaire. Je suis curieuse de savoir comment la petite cour de Greg a pris la nouvelle et me sens prête à affronter leurs reproches. Je suis accueillie par un silence de mort.

Greg n'est pas dans le bureau, mais Jérôme lève la tête de son écran.

— Qu'est-ce que tu veux ?

— Vous dire que je ne souhaite pas rendre votre boulot difficile. Je sais que j'y suis allée un peu fort.

— Il y a des manières de régler les conflits, Marion. Celle-là n'était pas terrible.

— Moins terrible que ce qu'il m'a fait, crois-moi.

— C'est ton problème si tu as cru à ses bobards.

Benjamin s'en mêle.

— Arrête, Jérôme. Je connais la copine de Greg. Depuis longtemps. Elle ne mérite pas ça. Et j'en ai marre de le couvrir chaque fois qu'il s'éclipse pour une partie de jambes en l'air.

— Mec, tu pourrais être solidaire de ton équipe, non ?

— Non. Pas pour ce genre de truc. Marion, ton message est passé. En ce qui me concerne, je ne changerai pas ma façon d'agir avec toi. On bosse ensemble, et tu es bien plus efficace que l'homme invisible qui se dit directeur d'antenne.

— Si Greg se fait virer, conclut Jérôme, ne compte pas sur moi pour te dire bonjour le matin. C'est tout ce que je peux te dire.

— C'est compris. Je vous laisse.

Ça, c'est fait. Je passe voir Magalie, espérant ne pas la retrouver pendue au plafond, avec une écharpe fraîchement tricotée. Elle est prostrée devant le fond d'écran de son ordi, une photo de son chien.

— Ça va, miss ?

166

— Non. Et toi ?

— Non plus.

— Bon. Comme ça, on est deux. Ça nous fait une belle chambre.

— Jambe.

— De quoi ?

— Rien. Je suis en haut, si tu as envie de parler. On a vécu la même chose, je comprends ce que tu ressens.

— C'est gentil. Je sais que je n'aurais pas dû sortir avec Greg alors que je suis fiancée. Mais personne ne me respecte ici, je suis enterrée dans un sous-sol toute la journée, entourée de Beta et de rouleaux de scotch. Ça m'a fait plaisir que quelqu'un s'intéresse à moi.

— C'est ta vie, tu fais ce que tu veux. Je ne te juge pas.

— Merci.

Je n'ai jamais autant attendu l'heure du déjeuner. Carine, Saskia, Nina et Frank occupent la plus grande table de la brasserie qui est devenue notre QG, pendant que je sèche mon dernier torrent de larmes. Frank pianote nerveusement sur le dossier d'une chaise.

— Frank, il faut que tu te détendes. Greg a eu son compte, tu ne crois pas ?

— C'est la façon dont il t'a parlé, Marion. Non, mais il est sérieux ? Il prend les gens pour des paillassons, excuse-moi, je ne dis pas ça pour être blessant, mais c'est vrai. Et, ensuite, il ose ouvrir sa grosse bouche ?

167

— Il ne faut pas lui donner plus d'importance qu'il n'en mérite. Je l'ai bien assez valorisé comme ça depuis des mois.

— Le pire truc qui puisse arriver à ce genre de gars, dit Carine, c'est qu'on l'ignore. À partir de maintenant, c'est ce qu'on va faire.

— Qui vote pour la méthode Carine ?

Unanimité. Et tournée de fondants au chocolat pour fêter ça.

— Comment s'est passé ton rendez-vous avec le boss ?

— Il ne nous vire pas. Au début, j'ai pensé que ça allait être dur de travailler dans la même boîte que Greg, mais, dans l'histoire, c'est lui qui devrait être gêné. Moi, je vais faire mon boulot, tranquillement. S'il s'approche, il sait de quoi je suis capable.

— Je n'arrive toujours pas à croire que tu aies envoyé ce mail à tout le monde, dit Frank. À la place de Greg, j'aurais démissionné et je serais allé me cacher dans un trou pendant cent ans. Si sa copine l'apprend, il aura tout gagné !

— Il faudra bien qu'elle l'apprenne un jour ou l'autre, renchérit Nina. Et pourquoi pas aujourd'hui, justement ?

— Vous, les filles, vous ne lâchez jamais l'affaire ? proteste Frank. Nina, t'es aussi agressive que Carine ! J'aurais jamais cru.

— Frank, tu es le premier à te lever pour lui casser la gueule et tu nous reproches de passer à l'attaque ?

— Je ne dis pas ça. Mais sa copine ne nous a rien demandé, on ne la connaît même pas. C'est trop violent.

— Et si elle le découvre dans cinq ans avec deux gosses et un crédit immobilier sur le dos, ça sera assez *soft* pour toi ?

— …

Je ne les écoute plus. En fait, je n'ai qu'une envie : oublier Greg. Aussi vite que possible. Avec mes amis qui ne parlent que de lui, c'est mal parti. Je soupire :

— J'en ai assez fait pour pourrir la vie de Greg, là. Laissons l'adrénaline redescendre.

— Comment peux-tu rester calme ?

— Je ne suis pas calme. Je fais comme si. C'est mieux que péter un plomb. D'ailleurs à ce sujet, j'ai des grilles de programmes à envoyer, moi !

En ouvrant ma boîte mail, je m'aperçois que je suis devenue la confidente de toutes les victimes de Greg. Nous sommes six, sans compter celles qui ont quitté la chaîne. L'une d'elles, Fanny-du-marketing, me propose de créer un groupe Facebook pour retrouver toutes les cruches qui ont couché avec lui. Et elle suggère de détruire Greg sur le Net. Trop risqué, trop bas, trop gore. Cette Fanny a vraiment dû souffrir. Une autre, Maeva-de-la-compta, m'annonce que Greg l'a demandée en mariage et quittée le lendemain en prétextant « un coup de trop dans le nez ».

Tout cela me réconforte : ce salopard est irrésistible. Alors, comment aurais-je pu lui résister ?

23

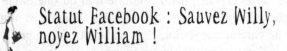

Statut Facebook : Sauvez Willy, noyez William !

Je prépare mes grilles de programmes en calant les nouvelles émissions, les rediffusions, les shows sponsorisés et les plages de clips, et les envoie à tout le monde. C'est mon deuxième mail général de la journée, mais celui-ci est clairement moins passionnant que le précédent. Je m'occupe ensuite du tableau de bandes-annonces pour Carine et m'offre un après-midi de shopping virtuel sur le Net pour me récompenser de mon héroïsme matinal. William me rappelle.

— Tu as vu Bernard ?

— Oui.

— Et ?

— Tu veux savoir si je suis licenciée ?

— Oui, tu es mon assistante, c'est la moindre des choses, non ?

— C'est marrant que Bernard ne t'ait pas prévenu : il me garde, figure-toi. Désolée de te décevoir.

— OK. Rien d'autre à m'annoncer aujourd'hui ?

— Si, un petit truc, sa femme a beaucoup aimé la bague que j'ai trouvée pour son anniversaire.

170

— Tu lui as…

— Non, je n'ai pas.

— Bon, on se voit demain matin à 10 heures. Il est temps qu'on ait une petite conversation.

— J'ai déjà une réunion avec le marketing. Un rendez-vous à 12 heures te convient ?

— Non, 10 heures. C'est encore moi qui commande.

— Soit. Autre chose ?

— À demain.

Biiip. Ce n'est vraiment pas ma période, mais on peut dire que je l'ai cherché. Il me suffisait de suivre l'incontournable Top 10 des garçons à ne JAMAIS laisser nous approcher que nous avions rédigé avec les copines :

1° – Le vieux beau qui a passé l'âge. *Cf.* Franck Dubosc.

2° – Le porteur de slim et chaussures pointues et vernies. *Cf.* un branlos des Strokes.

3° – L'imbuvable tchatcheur qui monologue pendant des heures. *Cf.* mon cousin Édouard.

4° – Le mystérieux beau gosse qui a l'air de mener une double vie. *Cf.* Superman.

5° – Le pseudo *people* qui croit connaître des stars parce qu'il les a croisées lors d'une soirée. *Cf.* le serveur du japonais qui tourne, à Bastille.

6° – Le geek qui chuchote à l'oreille de son ordi comme si c'était un cheval. *Cf.* le mec qui a créé Facebook.

7° – Le musicien. *Cf.* tous les musiciens, même ceux qui font du triangle à la MJC de Saint-Quentin-en-Yvelines.

8° – Le mec de plus de trente ans qui vit chez ses parents et trouve ça normal. *Cf.* Tanguy.

9° – L'éternel étudiant qui change de spécialisation tous les deux ans. *Cf.* l'ex de Sev.

10° – Le taré qui vit presque dans une FNAC tellement il possède de CD / DVD / jeux vidéo, mais pas de serviettes de bains propres. *Cf.* l'ex de Sev (encore).

Il était là, sous mes yeux. C'était le n° 4.

Heureusement, le commando qui a passé la soirée chez moi la veille m'attend pour une seconde mission « remonte-moral ». Un bisou aux collègues, et je les rejoins chez Vincent pour un marathon *How I Met Your Mother,* saison 1.

Statut Facebook :
Legen-wait for it-dary !

Le lendemain matin, à 10 heures pile, je suis dans la salle de réunion avec un thé pour William, et un cappuccino pour moi. Sans surprise, il arrive avec un quart d'heure de retard. Ce sera donc un thé froid ce matin — je n'y peux rien, un brave a nettoyé le four à micro-ondes à l'aube et il pue le décapant.

— Tu t'es calmée ?

172

— Pourquoi tu t'acharnes comme ça sur moi, William. Je bosse bien, je rattrape tes bourdes, j'assure les réunions à ta place… Grâce à moi, tu as la belle vie.

— Je n'ai pas de comptes à te rendre. Tu fais juste ton boulot, Marion. Tu es payée pour ça.

— Non, je suis payée pour t'assister. Pas pour faire ton boulot.

— Tu crois que ce que tu fais, c'est mon boulot ? Alors tu es aussi bête que je le pensais. Moi, je me bats dehors pour que vous soyez peinards dedans. Je me tape les boîtes de prod, les consultants, le lobbying et même l'espionnage de la concurrence… Toi, tu es juste là pour le thé et les tableaux Excel.

— Non. JE fais l'espionnage de la concurrence en TE fournissant un tableau toutes les semaines de leurs nouveautés, leurs programmes, leurs projets, leurs recrutements ainsi que les rumeurs qui traînent sur le Net. C'est moi qui fais ce boulot. Toi, tu te contentes de déjeuner avec des gens qui connaissent vaguement quelqu'un qui a peut-être des infos, et tu fais des notes de frais. Je suis jeune, mais pas bête.

— Tu insinues que je ne sers à rien ?

— Non, j'affirme que tu te fous de ce boulot. Si tu es toujours dehors, c'est surtout pour soigner ton réseau et chercher un poste ailleurs.

Prends ça dans les dents espèce de rabat-joie-pour-risseur-de-vie-imbu-de-toi-même.

— De quel droit racontes-tu des trucs pareils ?

Je lui sors mon joker, sa lettre de démission trouvée dans les factures, le jour où il a décidé que c'était à moi de rattraper trois ans de pagaille en huit heures.

173

— Tu tiens ça d'où ?

— Tu devrais ranger tes affaires. C'était dans les factures d'acquisitions.

— Et tu l'as gardée pour me faire chanter ?

— Non. Je l'ai gardée au cas où tu dépasserais les bornes. C'est le cas.

Il m'arrache la lettre des mains et la déchire.

— Tu peux en faire des confettis, si tu veux. Je t'ai dit que je n'avais pas l'intention de m'en servir.

— Mais tu veux quoi, exactement ?

— La paix, William. Que tu me foutes la paix. C'est tout simple.

— Pour la paix, c'est mal barré. Pour la guerre, en revanche… Pfff, tu me fatigues, tiens !

Mais je suis lancée. Il ne va pas m'arrêter avec une insulte et trois soupirs.

— Laisse-moi faire mon boulot, William ! Arrête de m'humilier devant les autres, dis-moi merci une fois de temps en temps, je n'en demande pas plus. Pour ce qui est de l'histoire avec Greg, c'est la première et dernière fois, puisque je ne compte pas coucher avec toute la boîte. Maintenant, si tu veux bien, j'ai du taf.

Sans attendre sa réponse, je me lève. William ne se calme pas pour autant.

— Ton arrogance est inacceptable, Marion. Tu oublies une chose : tu es toujours mon assistante, tu réponds à mes ordres et je les donne comme je le souhaite. Pour ce qui est des remerciements, tu en auras quand tu les mériteras.

— Si tu le prends comme ça… On se voit pour la réu édito à 17 heures.

174

Décidément, il n'y a rien à espérer de lui. Je vais devoir prendre mon mal en patience, si je veux continuer à travailler ici. Et je le veux : ce n'est pas parce que je suis aux ordres d'un goujat que je vais laisser tomber. J'ai affronté autant d'épreuves ces derniers mois que durant toute ma vie professionnelle, il en faudrait plus pour me décourager.

Quant à ma vie sentimentale, je vais me faire chouchouter par mes amis. Et laisser le temps produire son effet.

24

Statut Facebook : Qui a dit que les réunions ne faisaient pas avancer le schmilblick ?

La journée passe à une vitesse fulgurante. Depuis la veille, j'ai la sensation de vivre dans une dimension parallèle, comme si rien n'existait vraiment. À 17 heures, tout le monde est en place dans la salle Lady Gaga, je n'ai pas besoin d'aller chercher qui que ce soit. Même le chef est ponctuel.

— On va aller vite aujourd'hui, j'ai un rendez-vous important dans la foulée. Musique, quelles sont les nouvelles ?

William exige qu'on se tutoie, mais n'appelle jamais les gens par leur prénom en réunion. « Pas de familiarité », dit-il. Frank, qui a été promu responsable de la musique depuis deux mois, prend la parole.

— On est partenaires du nouvel album de Beyoncé. Le clip sera en haute rotation pendant trois semaines, puis on baissera tout doucement jusqu'à ce qu'elle sorte le prochain. Sauf si c'est un tube, auquel cas elle restera en haute jusqu'à la nuit des temps. J'ai dégagé

176

Gilbert *Be2Be* de la *playlist*, ça ne marche pas, ni en télé, ni en radio. Désolé, William, je sais que c'est un pote à toi, mais on ne peut plus se permettre de le faire tourner.

— Donne-lui encore deux semaines.

— Mais j'ai plein de nouveautés à diffuser ! Tu as tellement réduit la durée des plages de clips pour mettre des programmes que je joue à Tétris en permanence. Il faut que je fasse de la place.

— Dans ce cas, vire le truc de « Nouvelle Star », j'en ai ras le bol de la promo de M6. Voilà, tu as ta place.

— Mais ce *truc*, comme tu dis, il cartonne ! On n'y peut rien si ça vient de M6, les jeunes adorent !

— Ne discute pas, je t'ai prévenu que j'étais pressé. Rien de plus important ?

— On n'a pas eu le partenariat de Rihanna, elle est partie chez un concurrent.

— Pourquoi ? Qu'est-ce que tu as foutu ?

— JE N'AI PAS DE PLACE POUR METTRE LES CLIPS ! Comment faut-il que je le dise ? Ils demandaient un nombre de passages que je ne pouvais pas fournir.

— Tu me parles autrement. Vous êtes tous dingues dans cette équipe ou quoi ? Tu rappelles la maison de disques et tu offres plus que ce qu'ils demandaient. Tant pis pour les quotas de clips français ce mois-ci, tu me vires tous ceux que tu peux.

— C'est n'importe quoi.

— Excuse-moi ?

— Rien. Ça ne sert à rien.

177

— Tout le monde fait sa crise d'ado depuis que Marion a pété les plombs, c'est ça ?

Je jette un regard implorant à Frank, avec un non de la tête pour éviter qu'il ne s'emballe. William cherche les embrouilles, il est hors de question de lui faire ce plaisir. Carine a dû avoir la même idée. Elle fait baisser la pression.

— Pour ce qui est des bandes-annonces, on a mis le paquet sur « Mate ma mère, elle est mieux que la tienne » et ralenti la cadence sur « J'ai quatorze ans et je suis millionnaire » parce qu'elle est à l'antenne depuis trop longtemps. Je teste de nouveaux comédiens pour les voix la semaine prochaine : Guillaume nous lâche, il trouve qu'on ne le paie pas assez.

— Elle est bonne celle-là ! Il veut qu'on lui achète une voiture, aussi ?

— Il bosse pour d'autres chaînes qui lui offrent pour une heure ce qu'on lui donne pour une journée. Ça me paraît normal.

— Je ne t'ai pas demandé ce que tu en pensais.

— Eh bien, je te le dis quand même. Faire passer des castings, c'est une grosse surcharge de travail. Je me permets donc de l'évoquer, si ça ne gêne personne.

— On n'est pas aux Assistantes en détresse anonymes. Gardez vos considérations pour vous. Le comportement de Marion n'est pas un exemple à suivre.

Il commence à me taper sur les nerfs celui-là.

— J'aimerais bien que tout ne soit pas automatiquement relié à mon cas personnel, ça devient lassant. On a tous tourné la page…

178

— Je te dirai quand la tourner, la page. Production, vous foutez quoi ? Ça bosse ?

— On débute le tournage de « Ma chambre est pourrie », lundi matin. Marion sera là en renfort, et ce ne sera pas du luxe, puisqu'on n'a plus de stagiaire depuis décembre.

— Vous pouvez survivre sans un gamin de dix-huit ans pour préparer votre café. C'est de l'argent foutu en l'air, les stagiaires.

— Je ne suis pas d'accord. D'ailleurs, le marketing en a deux.

— On a besoin de deux stagiaires, confirme Fanny. Je te rappelle que notre boulot nous oblige à nous taper tous les concerts de la terre, puis les soirées, pour aller serrer des mains et discuter des contrats. On est tous crevés, c'est normal d'avoir des stagiaires pour nous filer un coup de main.

— Te taper des concerts ! s'exclame Saskia. Mais j'y vais quand tu veux, je ne demande que ça. Bizarrement, les invitations restent coincées dans votre bureau.

Le ton monte. Et on peut toujours compter sur William pour en rajouter une couche.

— Saskia, ils y vont pour bosser, pas pour chanter du Christophe Maé avec leurs copines ! D'ailleurs, heureusement qu'il y a le market pour faire connaître la chaîne, parce que ce n'est pas avec vos prods de merde qu'on va générer de l'audience.

— Mais c'est toi qui prépares les briefs ! On se contente de les exécuter.

179

— Vous exécutez mal. Marketing, justement, quelles *news* ?

— On a un gros deal avec Puma qui crée une ligne de baskets avec notre logo. Ce sera une collection luxe, dispo pendant un mois avec une grosse campagne promo.

— Bah voilà. Ça, c'est du boulot. Prenez-en de la graine, les autres. Il n'y a que mon département qui ne sait pas bosser ici, c'est une honte.

— On est peut-être mal dirigés.

— Tiens, Marion. Tu es encore là ? Excuse-moi, je t'avais oubliée. Quoi d'autre ?

Silence de mort dans la salle. Jennifer, notre attachée de presse, a l'air pétrifié à l'idée de prendre la parole.

— J'ai un gros papier qui sort dans *TéléMag* la semaine prochaine sur « J'ai quatorze ans et je suis millionnaire », ils adorent. Les autres articles sont dans la revue de presse que vous aurez lundi matin.

— OK. Si un jour tu arrives à nous pondre une couverture de magazine, je commencerai à croire en Dieu. On a eu mieux comme attachée de presse. Couche avec les journalistes s'il le faut, mais active-toi. Demande conseil à Marion, elle s'y connaît en promotion canapé. Tout le monde a fini ? Alors, je me casse.

Tout fier de nous en avoir mis plein la tronche, William quitte enfin la pièce. Je le hais. Comment fait-on pour supporter ça ? Carine me regarde. Visiblement, elle se pose la même question.

— Ce type est exécrable ! s'exclame-t-elle. On devrait porter plainte pour harcèlement. On ne peut pas le laisser faire, il n'a aucune limite !

Je balaie sa remarque d'un geste épuisé :

— Je m'en fous. Sincèrement (menteuse !). Il paiera un jour ou l'autre. D'ici là, j'attends vos récaps pour finaliser le compte-rendu. Bon week-end à tous.

Un « bon » week-end que je vais passer à me morfondre sous la couette.

25

Statut Facebook : Il peut avancer plus vite, le temps, SVP ?

Lundi matin, dans un studio en banlieue, nous commençons le tournage de « Ma chambre est pourrie ». Il n'est que 9 h 30, mais tout le monde est déjà hystérique. Les moyens de la production sont limités — l'argent de la chaîne est placé ailleurs, genre dans les trente écrans de télé qui trônent dans le bureau du big boss. Nous allons donc tourner en une seule journée au lieu de trois.

Il fait une chaleur de folie sous les projecteurs. L'ingénieur du son court dans tous les sens, parce que les micros ne fonctionnent pas. La maquilleuse ne parvient pas à cacher les cernes de nos deux animateurs qui, en plus d'être de mauvaise humeur, ont oublié les vêtements choisis par la styliste. Ma première mission : réveiller la styliste et exiger qu'elle leur apporte des fringues de rechange. Je croise Saskia, les cheveux hérissés, les joues rouge écarlate.

— Je vais péter un plomb ! Le petit déjeuner et le déjeuner n'ont pas été livrés ! Avec toute cette

182

pression, je me suis trompée de date. Ça ne m'était jamais arrivé, William me pousse à bout… Et voilà le résultat.

— Mais ce n'est pas si grave…

— Tu rigoles ? Ça va être un enfer ! Les animateurs ne travaillent pas s'ils n'ont pas leurs cinq pains au chocolat et leurs trois litres de café !

— Je peux acheter de quoi tenir jusqu'à midi au Starbucks le plus proche. Ils font des thermos de café. Je prendrai aussi des donuts, des muffins et tout ça.

— Tu ferais ça ? Je suis désolée de t'embêter, mais ça sauverait la première partie du tournage.

— J'y cours. Concentre-toi sur ton métier, moi je fais l'assistante. D'habitude, je prépare le thé de William, je peux bien m'occuper du café des animateurs… Après tout, c'est mon boulot, non ?

— Merci, poulette.

Une demi-heure plus tard, je suis de retour, croulant sous les sacs. Les animateurs cessent immédiatement leur grève du zèle. Ils acceptent même de se changer et envisagent de se mettre au travail dès qu'ils auront le ventre plein. Entre-temps, une autre catastrophe est arrivée : la société qui nous loue les caméras a oublié les câbles d'alimentation. Je les contacte pour qu'ils nous envoient un coursier en urgence. Je téléphone ensuite à SansDwich, la boîte qui devait nous fournir le déjeuner, pour leur expliquer que le tournage a un jour d'avance et les supplier de nous livrer tout de suite. Au bout du fil, la fille n'a pas l'air décidé à nous rendre service.

— Je suis désolée, mais cela fait six mois que vous ne nous avez pas payés. Je ne vais pas faire d'effort alors que vous n'en faites aucun pour nous.

— Je vous promets de signaler ce retard à la comptabilité dès que je rentre au bureau ! C'est vraiment une urgence, là. Les gens menacent de ne pas finir la journée s'ils n'ont rien à se mettre sous la dent.

— Ce n'est pas mon problème. On vous a adressé une dizaine de courriers de relance, vous n'avez même pas répondu. Nous avons accepté votre dernière commande pour arranger Saskia que nous connaissons bien, mais n'en demandez pas plus !

— Mais c'est Saskia qui vous le demande ! Elle n'a pas le temps de vous appeler parce qu'elle a des problèmes par-dessus la tête. Je vous en supplie.

— Non. Pardon, mais non. Vous ne pouvez pas tout vous permettre sous prétexte que vous bossez pour une télé.

— Bah, vous savez quoi ? On va se débrouiller sans vous. Je n'ai pas le temps de négocier avec une pétasse pas fichue d'aider un client. Je vous souhaite une journée aussi pourrie que la nôtre. Au revoir.

Je n'aurais pas dû, mais ça a été plus fort que moi. Je ne supporte plus de me laisser marcher sur les pieds. Cette fille a raison sur un point : il est clair que je commence à devenir « une fille qui travaille à la télé ». Sautes d'humeur comprises.

— Saskia, j'ai envoyé bouler la fille de SansD-wich. Elle a été hyper désagréable et elle a refusé catégoriquement de bouger le petit doigt. Tant pis, j'irai au McDo. J'en ai vu un sur le chemin du Starbucks, je demanderai à quelqu'un de m'aider à porter. On ne va pas perdre notre temps au téléphone.

— Ça marche. Je la recontacterai demain. Est-ce que tu peux t'asseoir sur un des tabourets pour qu'on teste l'image ? Les animateurs sont encore en train de mastiquer leurs muffins et il faut qu'on avance.

— Oui, chef.

Je déteste être devant une caméra. Ou devant un appareil photo. Le cadreur grogne et me parle comme à une gamine de dix ans.

— Regarde à gauche. Non, l'autre gauche. Tiens-toi droite. Change de tabouret. Parle un peu. Tais-toi, tu me fatigues. Regarde à droite. Gratte-toi la tête. Mais qu'est-ce que tu es bête, en plus tu le fais.

— Bon, tu as fini ?

— Oui.

— Ne me dis pas merci, surtout.

Les animateurs arrivent enfin et, après quelques retouches de maquillage, ils font leurs premiers plateaux. Le but de l'émission est de débarquer chez des ados dont la chambre est moche, et de la transformer en palais. Et quand je dis « palais », je ne parle pas de lampes en carton ni de peluches ringardes, mais d'écrans plasma, de baignoires à remous, de sols qui s'allument dès qu'on marche dessus comme dans le clip de Michael Jackson, de trois cents CD cachés dans leurs placards et autres friandises. Les gagnants sont en général les neveux/enfants/amis des employés de la chaîne, mais ils feignent très bien la surprise d'avoir été choisis.

Je déteste les passe-droits (bon, j'exagère, heureusement que la sœur de Vincent m'a procuré une bague pour la femme du big boss). En tout cas, ces ados ont des têtes à claques. Je suis contente de ne pas être présente pour tourner les séquences avec eux. Je suis seulement sur les plateaux avec les VJ. Un mot que je viens d'apprendre, la version « video » de DJ : VJ.

— Yo ! Yo ! Yo ! Dans quelques minutes, nous partons chez Daphnée qui ne se doute de rien, pour *pimper* sa chambre du sol au plafond. Ça va être ouf ! Ne bougez pas pendant la pub, on revient.

Cette petite phrase a nécessité trente-sept prises. Pour un mec payé en un jour ce que je touche en une semaine, c'est scandaleux. Son acolyte ne fait pas mieux. Trente-quatre prises pour prononcer, sans bégayer :

— Nous sommes de retour dans « Ma chambre est pourrie », et vous n'allez pas tarder à halluciner. Mais avant d'aller secouer le cerveau de la petite Daphnée, n'oubliez pas que vous pouvez participer en postant une vidéo de votre chambre sur notre site www.teentv.fr !

Mission McDo accomplie, je reviens avec vingt menus, quinze sandwichs et un nombre indéterminé de desserts. Personne n'a pu m'accompagner, mais notre styliste m'a prêté sa valise à roulettes. Tout tient dedans, à part les boissons dangereusement entassées dans des sacs. Nous avons une heure et demie de retard sur le planning, tout le monde est sur les nerfs, un vrai bonheur.

J'adore cette journée.

Statut Facebook : Je peux aussi faire le ménage, si vous voulez...

À peine ai-je eu le temps de tout installer sur la table et d'entendre sans m'énerver « C'est froid cette bouffe » que William m'appelle.

— La récré est terminée, rentre au bureau.

— C'est obligatoire ? Ici, c'est la panique.

— Chacun son boulot, le tien est de m'assister. Je t'attends.

— Quelle est l'urgence ?

— Il me faut une version en anglais du dossier sur la chaîne qu'on lance cet été.

— Je sais qu'il te faut le document en anglais, mais le marketing m'a dit que la présentation avait lieu la semaine prochaine. Je te le prépare pour demain.

— Non, aujourd'hui. Ne discute pas.

— OK. J'arrive.

En apprenant la nouvelle, Saskia ne cache pas sa déception. Mais elle connaît William comme moi : quand il a une lubie, impossible de le faire changer d'avis.

J'arrive au bureau et me mets à la traduction de la présentation. Montre en main, j'en ai pour cinquante-deux minutes. Ça valait vraiment le coup de laisser

Saskia se débrouiller toute seule ! Rien d'intéressant dans mes mails, ni dans ceux de mon chef. J'ai donc le temps de faire vérifier mon document par Max, le responsable du service traduction.

— Je n'ai pas envie de t'aider, Marion. Solidarité masculine.

— Quoi ?

— Tu sais très bien de quoi je parle. Greg…

— Mais de quoi tu te mêles ? D'ailleurs, je ne suis pas en train de te demander de l'aide ! Il s'agit d'un projet pour William. Que ça te plaise ou non, tu vas devoir le valider. Et il le veut aujourd'hui, t'as intérêt à accélérer.

— Tu n'as aucun moyen de me forcer. Je suis prêt à l'expliquer à William.

— Quoi ? T'es pas bien ? Je t'en foutrais, moi, de la solidarité masculine. Vous êtes vraiment limités. Je déteste les mecs.

— Oui, on a vu ça.

Heureusement qu'il n'est pas dans mon *open space*, sinon Frank lui aurait fait une tête au carré. Quel connard. Je préfère rester célibataire que d'approcher un mec dans les dix années à venir. Ils me dégoûtent.

Une demi-heure plus tard, Max me renvoie le document. Comme prévu, sans aucune correction. Je suppose qu'il ne l'a même pas ouvert.

J'imprime l'invitation à la soirée de présentation des chiffres d'audience. Même si nous nous connaissons tous, Bernard tient à ce que l'on se présente à l'entrée avec ce bout de papier et une carte d'identité. Les noms de nos conjoints ont été listés, et ils devront venir également avec leurs papiers. Ils seront même fouillés en arrivant. Pour quoi faire ? On se le demande. Le big boss aurait-il peur des micros espions ? Bonjour la confiance. Apparemment, nos résultats sont tellement bons qu'il a décidé de transformer notre petite fête en méga fiesta. Il a convié les clients de la régie pub et des *people*… Des *people*, des vrais ! Une soirée paillettes ! Franchement, je la mérite.

26

 Statut Facebook : Ce soir, je serai la plus belle pour aller me venger er er er...

Vincent sonne chez moi à 19 h 30 pour une séance habillage/maquillage. Depuis que je suis les conseils de Nina, ces trucs de filles ne sont plus des corvées pour moi. Elle m'a dégoté une robe vintage 50's que je vais tenter de ne pas tacher avec les petits-fours, et qui va à merveille avec une de mes paires d'Annabel Winship. Vincent, qui confond « fête Teen TV » et « Halloween », s'est déguisé en John Travolta dans *Grease*. Cheveux gominés, jean avec ourlets géants, T-shirt blanc moulant et veste en cuir au col relevé... Très classe. Je suis fière de me pointer là-bas à ses côtés, ce n'est pas tous les jours que j'ai une bombe atomique à mon bras. Bon, il est gay, mais qui le sait ? Personne, et surtout pas Greg. Avec un peu de chance, il sera jaloux.

— Quelles sont les stars invitées ? Des têtes d'affiche genre Beyoncé ou des blaireaux de télé-réalité ?

Je suis en train de répartir dans des bols des bricoles à grignoter avant la soirée. Bâtonnets de carottes, tomates cerise et quelques chips grassouillettes.

— L'option télé-réalité est assez vraisemblable malheureusement. À mon avis, Vincent, tu vas croiser moins de célébrités ce soir que sur tes shootings photos.

— Impossible ! Je suis un minimannequin de rien du tout, je ne rencontre jamais de stars ! Je te rappelle que je suis spécialisé dans la photo de slip.

— Et tu passes tes journées avec des gens à moitié nus ! C'est cool quand même, non ?

— Tu aimerais aller au boulot en culotte ?

— Euh, non. Tu as raison. En fait, c'est nul.

— Ce n'est pas nul, répond Vincent, la bouche pleine de chips. Ça rapporte des sous, et ça ne me prend pas trop de temps. Je ne me plains pas.

— Arrête de t'empiffrer, sinon tu ne rentreras plus jamais dans un slip de taille humaine !

— Enlève ces chips de ma vue, alors !

— Allez, on est assez beaux, on y va.

— Yeaaaah ! À nous les *people*, à nous la bouffe gratuite, à nous le champagne qui coule à flots, à nous les chanteurs qui n'arrivent pas à percer, à nous les ragots !

— Au moins, tu es content d'y aller, ça fait plaisir. Ton exaltation devrait t'aider à supporter le discours de Bernard.

— Je sais faire semblant d'écouter. Je peux aussi penser à autre chose en même temps. La preuve, j'ai

191

passé un nombre incalculable de soirées avec toi et je ne me suis jamais ennuyé.

— Tu me le paieras, espèce de loque !

— Il faut qu'on se trouve un code pour que tu m'indiques discrètement Mister Greg.

— Je bâillerai une fois et te guiderai du regard. OK ?

— *Copy that.*

— Ah, ah. Très drôle. Allez Danny Zuko, on est partis !

Direction une boîte de nuit branchée, privatisée pour un soir par la chaîne. Aurélia, la responsable des relations publiques, nous donne des bracelets orange dès notre arrivée. La couleur jure avec ma robe, mais ce n'est pas comme si j'avais le choix. L'angoisse me submerge. Je n'ai pas envie de tomber nez à nez avec la chérie de Greg, j'ai peur de me mettre à pleurer pour un rien. Je m'agrippe à Vincent et cherche mes collègues du regard.

Saskia est plus détendue que ce matin. La fin du tournage a été moins laborieuse que le début : après avoir expliqué aux VJ qu'ils ne seraient pas payés en heures sup, et qu'il était donc inutile de traîner, ils ont travaillé comme des pros.

Frank est sur son trente et un, c'est bizarre de le voir comme ça. Je me suis tellement habituée à ce qu'il fasse partie de notre petite bande de filles que je ne l'ai jamais vu comme un garçon. Et, pourtant, il est plutôt mignon… Je ne sais pas où j'avais les yeux ces derniers temps. Pfff, comme si je ne le savais pas.

Beaucoup de filles jettent des regards alléchés vers Vincent, notamment Magalie. Personne ne lui a jamais expliqué ce qu'étaient des fiançailles ? Elle n'a pas dû tout comprendre.

J'aperçois William au loin, mais décide de l'ignorer totalement. Ce soir, rien ne m'oblige à être polie avec lui. Qu'il pourrisse tout seul dans son coin. Sa femme n'est pas venue et personne ne souhaite lui parler. Même si je ne suis pas méchante, je savoure de le voir examiner ses ongles et enchaîner les coupes de champagne pour se donner une contenance.

Avec une heure de retard, Bernard fait son entrée sous les applaudissements de ses troupes. Et c'est parti pour un discours sans queue ni tête. Prêt au décollage ? Attachez vos ceintures, ça va secouer !

En toute simplicité, il grimpe sur une table, exposant à tout le monde son pantalon blanc en lin froissé et ses babouches. Un look qu'il croit cool et en phase avec son moi intérieur, à l'image des photos du Sahara qui couvrent les murs de son bureau. Ce type est un véritable cliché ambulant. Micro à la main, il se lance dans son exercice préféré : nous fatiguer avec un discours incompréhensible, tout en évitant soigneusement de nous donner les chiffres d'audience (je croyais qu'ils étaient excellents, j'ai peut-être fait erreur).

— Salut tout le monde ! Comme vous le savez, j'ai brillamment mené la barque Teen TV, et la pêche a été bonne…

Je me tourne vers Carine.

— Holà ! Bernard a pris le champ lexical de la mer, ça va tanguer.

— … les vagues ont été hautes et violentes, mais j'ai tenu la barre. Et vous, moussaillons, vous avez ciré le pont de la télévision avec succès. À bâbord comme à tribord, je vois vos visages encore brûlés par le soleil ardent qui a illuminé notre réussite. Matelots, vous avez travaillé d'arrache-pied, mais ne vous réjouissez pas trop vite. C'est votre devoir, et ça le sera encore dans les mois qui viennent. Vous le savez, nous revenons de loin. Quand j'ai pris mes fonctions sur ce navire, nous étions la huitième chaîne préférée des quinze/vingt-quatre ans, une honte pour tout capitaine qui se respecte. Et je me respecte beaucoup. Nous avons donc bravé les vagues et les attaques pirates, et nous voilà troisièmes. En six petits mois, nous sommes passés de la pêche à l'épuisette à la pêche au gros. Finies, les crevettes… Les squales ne nous font plus peur, car NOUS sommes les squales.

Pause mélodramatique, Bernard s'écoute penser. Son sourire en dit long… Il est très fier de son discours. Il nous observe, traquant quiconque osera se désintéresser de son passionnant message. Pour le moment, tout le monde se tient à carreau.

— Nos bottes sont trempées, nous avons respiré les embruns à plein nez, pris des algues en pleine figure, défié des méduses, mais, ce soir, je vous propose de vous reposer. Reprenez vos esprits en mangeant quelques sushis, puisez des forces car demain la bataille sera difficile. Nos ennemis sont toujours à nos trousses, quelques nœuds seulement nous séparent,

194

gare à l'abordage. Ce sera eux ou nous. Je détiens la carte au trésor entre les mains, je la garde précieusement. Grâce à elle, je vous mènerai aux joyaux dont vous avez toujours rêvé. Seuls les plus tenaces tiendront le coup, les faibles se noieront, c'est la règle.

Pas trop loin de nous, j'aperçois Greg. Un coup de coude dans les côtes de Vincent, je bâille et dirige mon regard sur la gauche. Bernard ne m'a pas loupée.

— Marion. Je t'ennuie peut-être ?

— Non, pas du tout. Je vous prie de m'excuser, je supporte mal le champagne, mais je suis tout ouïe… de poisson.

— Alors, reste branchie. Ah, ah, ah ! Ce discours m'amuse beaucoup. Hum, hum. Ne croyez pas que le chemin parcouru nous protège de l'échec. Nous pouvons encore prendre un boulet de canon et couler. Mais les corsaires n'auront pas notre peau, je ne les laisserai pas faire… Mariniers, caboteurs, bateliers, je vous demande dès demain de travailler encore plus dur pour hisser nos voiles à la première place. Je ne tolérerai pas que l'on plonge. Ce que vous avez accompli est correct, je veux maintenant de l'exceptionnel, je veux Moby Dick au bout de mon harpon. Vous pigez ?

Son ton se fait presque menaçant, Bernard se transforme sous nos yeux en Capitaine Achab.

— Vous allez vous défoncer, vous allez ramer jusqu'à ce que vos mains soient pleines de cloques. Ceux qui ne s'en sentent pas capables sont invités à quitter le navire. Leurs remplaçants arrivent par radeaux entiers, et la plupart sont meilleurs qu'eux. Je vous ai à l'œil. Nous ne sommes pas sur un lac, mais sur un océan déchaîné. Accrochez-vous ou disparaissez de ma vue.

Son regard de tueur fou s'abat sur chacun de nous. Nous étions invités à célébrer une victoire, nous nous retrouvons menacés par une défaite.

— Maintenant, conclut-il pourtant, vous pouvez faire la fête. Hissez haut, Santiano !

Applaudissements forcés (sauf ceux de Magalie qui se croit à un concert de Johnny), sourires de rigueur, tout le monde ne pense qu'à une chose : boire pour oublier.

27

— Tu t'es collé la honte, mais ça valait le coup, j'ai repéré le fameux Greg. Blazer noir Paul et Joe, jean The Kooples, chaussures Kenzo. C'est bon, je vais lui péter la tronche.

— Non, non, Vincent. Regarde, sa copine est là. Elle a l'air tellement gentille…

— Dans quelques coupes, tu ne te demanderas plus qui est la plus gentille des deux. Allez viens, on va danser.

— Vas-y, toi, je vais voir mes copines. On se retrouve après.

— OK. Je ne peux pas résister à un bon tube de Ke$ha. Dancefloor, me voilà.

— Ne brise pas trop de cœurs, elles pensent toutes que tu es hétéro, et tu es beaucoup, beaucoup trop sexy ce soir !

— J'adore me faire draguer par les filles. C'est tellement drôle.

197

— Pervers.

Il s'éloigne pour prendre place sur la piste de danse, entre deux candidats de « Secret Story », une chanteuse éliminée à la première « Star Ac », connue pour avoir couché avec tout Paris, ainsi qu'un des participants de « Top Chef » qui ferait mieux d'aller préparer le dîner, vu ses déhanchés malheureux.

Je retrouve Nina, Carine et Saskia qui n'aiment pas danser non plus.

— Bon, les filles… Vous avez toutes vu la copine de Greg. Elle a l'air d'un agneau, ce serait horrible de lui dire que son mec est pire que Tiger Woods. Donc, on ne lui dit rien.

— Hé, Marion ! Attends encore un peu pour en décider.

— D'ailleurs, vous savez quoi ? Je ne le déteste plus.

— Toi, alors ! Tu ne lui as pas pardonné au moins ? Tu n'as pas l'intention de retourner dans son lit ?

— Pas drôle, Carine.

— Si, si, laisse Saskia, ça me fait rire. Je suis un peu pompette, alors que je m'étais juré de ne plus boire après les Teen TV Awards. Tant pis.

— Et pourquoi tu devais arrêter de boire ?

— Non, rien. Il reste quelque chose à se mettre sous la dent ?

— Des sushis.

— Oh non, Bernard m'a dégoûtée du poisson à vie avec son discours.

— En parlant de thon, c'est pas la moche qui sert de potiche sur France 2 là-bas ?

— Non, elle, elle est sur Canal +. Celle de France 2 a les dents plus avancées.

— En tout cas, elle joue à frotti-frotta avec l'autre nullos de « Koh-Lanta », il a la moitié de son âge.

— Il n'est pas nul, juste bête.

— Un mec qui mange un ver de terre vivant pour de l'argent est forcément bête. Si ça se trouve, il en a un, coincé entre les dents.

— Oh Carine, tu me coupes l'appétit ! En revanche, j'ai soif. Je file me chercher une coupette et je reviens.

En chemin, je sens une main qui m'attrape le bras. Greg. Qu'est-ce qui m'a pris de vouloir emprunter le couloir pour atteindre le buffet ? J'ai des frissons dans tout le corps, et la nausée qui monte. Vite, me débarrasser de lui.

— Tu me lâches immédiatement ou je te pète le nez.

— Tu m'excites quand tu parles comme ça.

— T'es bourré ou quoi ?

— Tu es belle avec ta robe, elle te fait un décolleté d'enfer.

— Je savais que tu étais un porc, mais à ce point-là… Ta femme est là, crétin ! Tu réfléchis avec autre chose que ton slip, parfois ? Tu me dégoûtes.

— Tu n'as pas toujours dit ça… On a passé de bons moments tous les deux. Nos corps ensemble, c'était magique, non ?

— Tu cherches les emmerdes ? Tu penses qu'on est tous aussi fous et désespérés que toi ? Ce n'est pas le

199

cas. Alors, toi et ton petit sourire de séducteur de seconde zone, vous allez retrouver ta femme, OK ?

— Marion, Marion, Marion. Tu es trop timorée, ça va te pourrir la vie. Il faut profiter des bonnes choses, ma chérie. Et, tu sais, plus je te regarde, plus je me dis… Marion ? Tu m'écoutes ou tu vas tomber dans les pommes ? Ouh, ouh !

À un mètre de nous, sa femme nous regarde, les larmes aux yeux et les poings serrés. Je suis pétrifiée. Elle a l'air tout à fait capable de m'arracher un genou. En attendant, elle se met à hurler.

— J'étais sûre que tu me trompais encore ! Il te les faut toutes, c'est ça ? Et ça ne te gêne pas, alors que je suis enceinte ? Espèce de raclure.

Enceinte ? Qu'est-ce que c'est que cette histoire ? Greg est assez vicieux pour me cacher qu'il est marié… Mais je ne l'imagine pas attendre un enfant sans avoir la dernière échographie en fond d'écran. Je regarde le ventre de sa femme : arrondi. Merde.

— Céline ! Mon amour, ne t'énerve pas comme ça. Ce n'est pas ce que tu crois. Cette jeune fille a glissé et je l'ai rattrapée. Tu t'inquiètes pour rien, comme d'habitude.

— Je m'inquiète pour rien, « comme d'habitude » ? Non, mais tu plaisantes ? En plus de m'humilier devant tout le monde en flirtant avec cette pouf, tu me fais passer pour la paranoïaque de service ? Enceinte ou pas, je te jure que cette fois je te quitte. Pour de bon.

— Moi ? Te tromper avec cette fille ? Mais tu vois bien qu'elle ne t'arrive pas à la cheville ! Céline…

enfin ! Je serais vraiment le plus idiot des hommes ! Elle n'est pas à mon niveau…

Cette fois, c'en est trop. J'avais juré de me taire, mais là…

— QUOI ? Tu parles de moi, là ? JE NE SUIS PAS À TON NIVEAU ? Et ta femme est enceinte ? Mais tu mérites de te casser le cou en tombant, « par accident », sur les marches !

— Ah, mademoiselle sait parler, finalement. Mademoiselle a une langue. Et je ne te demande pas ce qu'elle en fait pendant les heures de bureau !

La honte de ma vie. Honnêtement. Même quand j'ai oublié de mettre ma culotte une fois, en colonie de vacances, je n'avais pas autant envie de me jeter au fond d'un puits.

— Écoutez… Céline. Je ne savais pas que vous existiez. Je n'aurais jamais fait ça. Je suis désolée. Je m'excuse. Pardon.

Mais Céline n'en a rien à faire. Céline me déteste, Céline déteste Greg, Céline… va finir par accoucher sur place. De colère.

— Greg, je t'attends dans la voiture. Tu as exactement deux minutes pour dire adieu à tout ce beau monde. Tu m'entends ? Deux minutes, pour quitter définitivement ce milieu d'hypocrites et de fous dans lequel tu travailles. C'est la télé ou moi. Si tu ne m'as pas rejointe dans deux minutes, ce n'est même pas la peine d'essayer de me revoir. Et tant pis pour le bébé.

— Céline… J'arrive.

Je ne l'ai jamais vu aussi misérable. Lui qui était si sûr de lui… Il est réduit à l'état de serpillière gluante. Il ne pleure pas, mais c'est tout comme. Après lui avoir balancé un coup de pied mesquin mais salvateur dans le tibia, je fonce aux toilettes.

En sortant, je suis tellement sonnée que je ne sais plus quoi faire. Je croise Frank qui, sans me laisser le choix, m'entraîne vers la piste de danse.

— Vide-toi la tête maintenant. Oublie ce con pendant quelques heures. Danse, lâche-toi, crie un coup !

— Je ne sais pas trop faire ça.

Il m'attrape par la taille sur un titre de Kanye West.

— Tout ce que tu as à faire, c'est fermer les yeux et danser. Personne ne te regarde.

— Je vais essayer.

Essayer ? Ce mec pourrait faire valser un chameau handicapé. Je me laisse guider et enchaîne les morceaux : Lady Gaga, Madonna, Usher, Justin Timberlake, Jay-Z, Indochine… Tout et n'importe quoi. Est-ce qu'il resterait encore quelques gentlemen sur cette terre ? Le temps passe, et j'oublie presque Céline.

— Tu n'es pas venue avec ton pote Vincent ?

— Ah si, tiens. Je l'ai totalement perdu celui-là. J'espère qu'il n'est pas en train de faire croire à une fille de la boîte qu'elle a tiré le gros lot et partagera la couche de Travolta ce soir, parce que ça ne risque pas d'arriver.

— Il te ramène chez toi ?

— Oui, pourquoi ?

— Juste pour être sûr que tu rentres en toute sécurité. Réflexe de grand frère, rien de plus.

— C'est gentil. Merci beaucoup. Je pense que je vais rentrer d'ailleurs, je suis nase. Bonne nuit.

Je dépose un petit bisou sur sa joue et repère mon cher Vincent-John, affalé sur un canapé. En me voyant arriver, il commence à s'agiter.

— Marion ! Il faut que je te raconte un truc de fou, tu ne vas pas le croire, c'est dingue. Dingue, dingue, dingue.

— Tu me raconteras ça dans le taxi, Vincent. On rentre.

— Ça ne va pas ?

— Tu n'as pas vu la scène avec Greg et Céline ?

— Céline ? C'est qui ?

— Sa femme ! Tu ne suis plus rien, il est temps d'aller se coucher.

— Quelle scène ? On me cache tout ! Faut que tu me racontes !

Il passe son bras autour de mon cou et m'emmène vers le vestiaire puis la sortie. Je marche au radar. Je suis abasourdie, triste, vide. Comme si j'avais apporté la touche finale à mon histoire ratée avec Greg.

Une fois dans le taxi, je me mets à pleurer toutes les larmes de mon corps. Ça n'arrête pas de couler. Je reçois un texto de Frank : « Repose-toi et ne pense plus à cette soirée. Ça n'en vaut pas le coup. Bisous. » Trop mignon.

28

Statut Facebook : J'ai peut-être un peu mal aux pieds.

Chaussures et robes retirées, visage de panda démaquillé, thé servi, je suis prête à entendre ce que Vincent a sur le cœur. Pas envie de revenir sur ma délicieuse conversation avec Céline pour le moment. J'ai les poils des bras qui se dressent rien que d'y penser. Lui, en revanche, est tout à fait hystérique. Il a même oublié qu'il est 3 heures du matin et que j'ai des voisins intolérants : il a mis un vieil album des New Kids on the Block en musique de fond. Il connaît ma faiblesse pour ce reste de mon adolescence… Je repère une discrète technique pour tenter une opération « remonte-moral », surtout quand il pose un paquet de Dinosaurus à côté de la théière.

— Allez, raconte, Baron de Rothschild ! Je pense que tu es prêt, là !

— Tu ne vas pas me croire.

— Mais je ne demande qu'à être époustouflée ! Tu sais que je ne mettrais jamais ta parole en doute, même si tu me disais que tu as croisé Elvis Presley ET

Michael Jackson aux toilettes. C'est dire si tu peux tout me raconter.

— *Step by step... Ouh Baby...*

— Vincent ! Je croyais que c'était moi l'hystérique presque trentenaire qui n'arrivait pas à lâcher les New Kids. Arrête de chanter et raconte !

— Tu es impatiente, hein ? Donc, pendant que tu dansais avec ton collègue dont j'ai oublié le prénom...

— Frank.

— Voilà, Frank. Beau gosse, hein. Il est à fond sur toi, non ?

Je rougis. En effet, Frank a souvent joué les chevaliers servants avec moi ces derniers temps. Et il me jette des œillades assez prononcées pendant nos déj. Mais je n'ai pas du tout envie de prendre en compte ce genre de signal pour le moment. On verra plus tard. L'amour au bureau n'est pas mon fort.

— Oui, je reconnais, Frank est pas mal.

— Il a carrément tenté de t'effleurer le popotin toute la soirée !

— Ce n'est pas du tout le cas ! Tu n'as pas une histoire incroyable qui te brûle les lèvres plutôt que de raconter n'importe quoi ?

— Si tu ne me coupais pas sans arrêt...

— Je rêve ! Je ne dis plus rien : je mange mes gâteaux et je bois mon thé et tes paroles.

— Gourmande, va. Je reprends... Pendant que toi et ta robe rejouiez *Dirty Dancing* sur le dancefloor, je m'ennuyais. Après avoir fait quinze fois le tour de la salle pour voir à quoi ressemblent des *people* qui s'amusent, j'ai atterri aux toilettes. D'ailleurs, à ce propos, ils ne s'amusent pas les *people*, ils s'emmerdent ! Dès que les photographes tournent les talons, ils s'affalent sur des canapés comme s'ils avaient couru un marathon, c'est pathétique. À part le petit mignon de la « Star Ac 3 », mais je suppose qu'il tentait juste d'attirer l'attention. Enfin, je ne comprends pas, pourquoi ils ne profitent pas de la vie, ces gens ?

Il joue avec mes nerfs lui ou quoi ? Je le pousse à accoucher.

— Vincent, tu changes encore de sujet. Tu as atterri aux toilettes, et après ?

— Et là, je vois un mec qui me fait de l'œil. Quand je dis « faire de l'œil », je veux dire vraiment. Il me dévisage ouvertement. Pour être franc, ce n'était pas mon genre de mâle, mais parfois il faut savoir s'adapter à l'offre. Il finit par s'approcher de moi et me demande si j'ai besoin d'aide… « Non, je n'ai pas besoin d'aide, je lui réponds. Je cherche juste à m'amuser. » Le voilà qui ouvre la porte d'une toilette, me pousse dedans, nous enferme, me plaque contre le mur et s'attaque à mon jean.

— Tu t'es tapé quelqu'un pendant la fête de MON travail ? Mais tu es insortable, ce n'est pas possible !

— Attends, je ne l'ai pas forcé ! Si tu as bien suivi l'histoire, c'est lui qui m'a entraîné sur la pente du vice.

— Et il a duré combien de temps, le vice ?

— Je n'en sais rien, à vrai dire. Mais il savait ce qu'il faisait et, vu son empressement, il était en manque…

— Mais c'était qui ? Une star ?

206

— Je n'en sais rien. Il était trop vieux pour sortir d'une télé-réalité, pas assez beau pour être l'amant d'une *people* en vue, et je crois qu'il portait une alliance.

— Une alliance ? Tu as fait des cochonneries avec un homme marié ? Mais qu'est-ce qui ne va pas chez les hommes de nos jours ? Et descends de cette Wii Board, ça me file la nausée.

— Oh, ça va, ne t'excite pas comme ça. Je suis en train de battre mon record de ski…

— Mes voisins vont me tuer avec le boucan que tu fais. Bon, décris-moi le mystérieux inconnu.

— Difficile à dire, il était à genoux…

— Oh non, épargne-moi les détails, je n'ai pas envie là… Et puis, gardons son identité mystérieuse, j'en ai assez entendu. En tout cas, tu ne perds pas ton temps !

— Hé, ce n'est pas moi qui me suis dandiné contre un beau gosse sur le dancefloor ! Tu étais plutôt heureuse en Miss Lambada…

— Tu es ringard avec ta Lambada… Et puis je ne me suis pas dandinée, j'ai dansé. Ce n'est pas pareil. Tu vois le mal partout.

— Les mâles, oui, mais le mal… Sois un peu plus hédoniste, ma chérie, profite de la vie !

J'ai déjà entendu ça quelque part. Ils vont me lâcher, les hippies à la fin ?

— Tu sais quoi ? Tu parles comme Greg ! Je ne veux plus entendre ça. Basta ! Profiter de la vie, pour moi, c'est manger et regarder des séries télé. Voilà. Ça me suffit pour les dix ans à venir.

— Quelle ambition ! Entre dans les ordres, tu serviras à quelque chose au moins.

— Hors de question, les religieuses se nourrissent de soupe. Ce n'est pas manger, ça.

— Tu racontes n'importe quoi ! Bon, tu me parles de l'épisode Greg et Céline, ou tu attends que je te supplie ?

— Il va me falloir un deuxième thé.

— Tu profites de mon amour pour les histoires graveleuses, c'est pervers.

— Tu veux qu'on parle de perversion ? Vraiment, Mister-Love-in-the-Bathroom ?

— Tu fais la fille outrée, mais tu raffoles de mes histoires !

— Je n'entends pas l'eau bouillir, c'est normal ?

— Et un thé pour madame, un !

Je le fais encore poireauter vingt bonnes minutes, d'une part pour me venger de sa pratique éhontée du suspense, et aussi parce que j'ai mal au ventre rien qu'à l'idée de revenir sur cette dispute. Il paraît que les problèmes paraissent plus petits quand on en parle. C'est faux.

— Voilà donc l'histoire de ma rencontre éclair avec la femme de mon ex-amant... et leur futur bébé.

208

29

 Statut Facebook : Y a quelqu'un dans cette taule ?

Les lendemains de fête sont tristes chez Teen TV. Il est 11 heures, les bureaux sont quasiment vides. Les vaillants soldats ont le nez plongé dans le café, le visage tiré. Ils bâillent sur leurs dossiers. Devant mon écran, je bosse doucement en attendant que ma bande arrive. Nina débarque la première, pimpante comme d'habitude. J'ai l'impression qu'elle a pris quelques kilos, et ça la rend plus belle encore. Saskia et Carine arrivent ensemble, l'une avec son éternel survêt, l'autre trop classe pour être vraie. Sacrée Saskia. Je la soupçonne de prévoir ses tenues de la semaine dès le dimanche soir, afin de parer à toutes les éventualités. Frank se fait attendre. Il finit par se pointer, un peu avant midi, avec des Mocha blanc signés Starbucks pour tout le monde. Vincent a raison : il est mignon et attentionné. Pensée que je chasse immédiatement de mon esprit. Enfin… je crois.

Je leur raconte la scène de la veille. Un nuage de déprime me recouvre aussitôt. Nina décide de sauver l'ambiance.

— Bon, les amis, il n'y a pas que des mauvaises nouvelles dans la vie. Je vais même vous en annoncer une bonne : je suis officiellement enceinte.

— Youhou ! C'est génial !

— J'ai passé les trois premiers mois fatidiques hier matin ! Je propose qu'on porte un toast à cette petite merveille qui aura la chance de vous avoir comme oncles et tantes de substitution, vu que je suis fille unique.

— Au bébé !

— Dis donc, Frank, ce ne serait pas une larmounette que je vois dans ton œil, là ?

— Non, mais tu es malade ! J'ai une conjonctivite.

— Moi, je crois que tu es ému.

— Pfff, c'est vous les filles qui êtes gaga. Moi je trinque et c'est tout. Je ne vais pas pleurer pour un bébé, c'est cool mais voilà quoi…

— Je crois pourtant que tu vas te cacher aux toilettes pour pleurer.

— Moi aussi.

— Ah non, Carine, tu ne vas pas t'y mettre aussi. Je suis un homme, je pleure seulement quand la France perd la Coupe du Monde !

— Tu ne regardes pas le foot.

— Bah, je pleure quand même parce que mes potes sont dégoûtés.

— Tu es trop mignon…

— Avant que Marion ne se jette sur Frank, je vous propose d'aller déjeuner puisque, l'air de rien, le temps passe et je n'ai pas du tout envie de bosser.

210

Dans l'entrée, nous croisons Magalie et Kevin, le mec de la *hotline*. Ils sont habillés comme la veille. Mon petit doigt me dit qu'elle n'a pas fini d'être infidèle celle-là. Mais ce n'est pas parce que j'ai renoncé aux hommes pour l'éternité que je dois me mêler des histoires d'amour des autres.

Le déjeuner post-fête ne pardonne pas : lasagnes pour tout le monde et fondants au chocolat. Je regarde Nina se régaler, ça fait plaisir à voir.

William fait une arrivée tonitruante à 16 heures. On dirait qu'il est encore éméché.

— Marion, les reports acquisitions sont prêts ?

— Oui.

— Tu as envoyé les nouveaux horaires d'écran pub à la régie ?

— Oui.

— Tu as prévenu Muriel que la réu de lundi matin était décalée ?

— Oui.

— Je me casse, alors.

— Toujours aussi agréable.

— Excuse-moi ?

— Rien. Je n'ai rien dit.

— J'aime mieux ça... Je suppose que tu sais que Greg a démissionné ? Tu es contente de toi ?

Comme si c'était ma faute ! Je suis trop fatiguée pour me lancer dans une engueulade et décide de rester calme. Pour une fois.

— Non, je ne suis pas contente de moi. Je ne suis pas non plus contente d'avoir été flouée par ce mec. Combien de temps vais-je devoir m'excuser ?

— Tu essaies de me faire pleurer, là ? Ce mec n'a plus de boulot, tu comprends ça ?

— Il a encore sa femme et ils auront bientôt un enfant. Franchement, je pense que c'est plus important que le taf. Mais chacun son avis, hein !

— En tout cas, évite de pondre un mail collectif pour raconter tes problèmes, cette fois. Conseil d'ami.

— On est amis ? C'est trop gentil, William.

— Ne sois pas sarcastique, ça t'enlaidit. Allez, bye.

Pfff… J'ai beau réfléchir, je ne me souviens pas d'avoir connu quelqu'un aussi antipathique. S'il existait des jeux Olympiques de la cruauté mentale, il serait médaille d'or. Quant à moi, j'ai l'impression d'avoir été écrasée par un chauffard qui se serait acharné sur mon cadavre. Qu'est-ce que j'ai fait pour mériter tout ça ? Je n'en sais rien. Est-ce que je devrais filer ma dém, moi aussi ? Mettre du poison à la bonne température dans le thé de William ? Exploser tous les ordis de ce fichu *open space* ? M'exiler au Pérou et tricoter des bonnets avec Manu Chao ? Je suis perdue mais, au moins, je ne manque pas d'idées pour m'y retrouver.

En fait, si. Je manque d'idées. Céline a raison, la télé est un milieu infernal. J'ai l'impression d'être entourée d'une brochette de diablotins qui me piquent les fesses avec leurs fourches. Depuis que je travaille chez Teen TV, je passe mon temps à combattre des cas de conscience, à pleurer sur mon sort et, souvent, à regretter d'être là. De l'extérieur, on ne pourrait jamais imaginer que ce travail soit aussi dur. Usant. J'ai changé, je le sens. Comme si ce job avait accéléré ma maturité. Et, pourtant, je suis toujours aussi vulnérable. Je crois que je cherche encore à me prouver que je suis capable de tenir. De me relever à chaque coup, malgré mes jambes qui tremblent.

Enfermée dans les toilettes, assise par terre, la tête sur les genoux, je pleurniche comme une ado. Une vraie fontaine. Impossible de m'arrêter. Je repense à Greg, nos débuts, les week-ends en amoureux, sa gentillesse. Ma bêtise. Céline et son bébé. *Leur* bébé. Sven. Les altercations avec William, le moment où je me suis mise à m'exprimer comme lui. J'entends frapper à la porte.

— Occupé !

— C'est Nina. Ça va ? Tu veux parler ?

— Je ne sais pas ce que je veux.

— Un kleenex, peut-être ?

— Non merci, c'est bon, j'ai une réserve de PQ.

— Tu vas t'irriter le nez. Ouvre, Marion !

Sans me relever, j'enlève le loquet. Nina entrouvre la porte. Plutôt que d'attendre que je sorte, elle se faufile à mes côtés et s'assied sur la cuvette.

— On a tous eu envie de partir un jour ou l'autre, tu sais.

— Mais pourquoi on supporte tout ça ?

— Si tu parles de William, je le trouve tellement pathétique que ses piques ne me touchent pas vraiment. Il se débat encore plus que nous. Il a peur d'être viré tous les matins, il y pense en se rasant, et ça le rend bête.

— Greg a démissionné. Tu te rends compte ?

— Oui, et alors ? Ce n'est pas la fin du monde !

— Non, c'est vrai. Mais quand même.

— Il n'y a pas de « quand même ». On s'en fout de lui, d'accord ? C'est un con.

— Tu as raison. J'en ai marre de toutes ces histoires. Heureusement, ce soir je coupe les ponts avec Paris, Teen TV et tout ce merdier. Direction Londres pour un week-end *girly* avec mes copines. Ça va me vider la tête.

— La chance !

— Viens, on sort de cet endroit lugubre… Je n'ai plus de sang dans les jambes à force d'être recroquevillée.

— Moi, je vais rester pour un petit pipi, mais je ne t'oblige pas à me tenir la main.

— Pfff… Tu es bête. Tu es heureuse ? Pour le bébé ?

— Ça fait un an qu'on essaie ! J'évitais d'en parler pour ne pas nous porter la poisse. Je suis la plus heureuse du monde.

— Je suis vraiment, vraiment, vraiment, contente pour toi. Sur ces bonnes paroles, et comme dirait si bien mon cher patron, je me casse. À lundi, poulette.

214

30

Statut Facebook :
God Save the Queen !

Anna, Béné et Canouille m'attendent gare du Nord. Séverine a déclaré forfait, car sa société de dîners à domicile, Sev at Home, marche tellement bien qu'elle n'a pas le temps de prendre deux jours pour se reposer. Je suis fière d'elle. Elle a embarqué Vincent dans l'aventure et, ce soir, ils organisent une réception chez un animateur télé. Et demain, c'est à la soirée de lancement du nouvel album de Jerry Lee Jones qu'ils feront des merveilles.

Une fois installées dans le dernier Eurostar de la journée, nous déballons notre apéro : chips, tomates cerise, Coca light et KitKat, et nous portons un toast à la gloire de Sev at Home. Anna sort son IPad pour regarder un épisode de *Brothers and Sisters*, malgré les regards désapprobateurs de nos colocs de voyage. Le jour où quelqu'un inventera un doubleur de casque pour quatre personnes, nous serons silencieuses, promis. D'ici là… Béné bave littéralement devant Rob Lowe et n'en finit plus de nous dire à quel point il n'a pas vieilli depuis *Wayne's World*.

Le trajet est court… À peine le temps de regarder un second épisode de *Brothers and Sisters* jusqu'au bout. Dès notre arrivée, nous nous lançons dans notre première mission hautement gastronomique : direction, le premier Burger King du coin. Je détesterai jusqu'à la fin de mes jours celui qui a causé la chute de ce *fast-food* en France, et j'ai salivé pendant tout le chemin à l'idée de m'enfiler un Double Whopper. Ce week-end, personne n'est végétarien. Youpi !

Nous sommes hébergées par Andrea, mon ancienne patronne de la chambre syndicale. Elle a eu la bonne idée de migrer par amour dans ma ville préférée, et de s'installer dans une immense maison. Dès que je la vois, mon taux de chaleur humaine remonte d'un coup. C'est l'une des personnes les plus merveilleuses que j'aie rencontrées. Ayant prévu le coup du Burker King, elle nous a *juste* préparé un léger *tea time* avec un gâteau au chocolat plein de crème.

Pendant que les filles discutent, je lui résume les épisodes des derniers mois et bénis sa conclusion : *Nevermind guys, they suck*. En gros : « Laisse tomber les mecs, ils craignent. » C'est à ce moment que son mari, Darren, un grand roux sublime pour lequel Canouille se couperait un bras, rentre du boulot. L'air de rien, il est tard. Avant d'aller le rejoindre, Andrea me donne rendez-vous pour un petit déj en tête à tête, histoire de finir notre briefing.

Une fois dans nos chambres (oui, nous avons chacune notre chambre… on se croirait dans le « MTV

Cribs » de Mariah Carey tellement c'est grand), la petite bande se réunit pour skyper Sev et Vincent, histoire de savoir comment s'est passée leur première réception. Sev attendait aussi de connaître les détails de ma rencontre avec Greg. Et Vincent voulait tout écouter pour la seconde fois. Je ressasse mon baratin, encore et encore.

Mais l'attention de mes amis ne me console plus. Combien de temps cela me prendra-t-il pour oublier Greg tout à fait ? Voilà bien la seule question qui me passionne.

— C'est quand même dommage de ne pas l'avoir castré, soupire Anna.

— Il faut vraiment que tu arrêtes de vouloir castrer les mecs, sinon il n'y aura plus d'enfants sur terre.

— Non, mais juste les mauvais, les infidèles, les méchants, les profiteurs, les menteurs…

— Bref, tous les mecs, quoi, rigole Béné.

— Je vous remercie, les filles, mais je pense représenter les garçons qui n'entrent dans aucune de ces cases, s'écrie Vincent dans un coin de l'écran. On existe !

— Oui, mais vous êtes gays !

— On n'est pas dingues, on garde le meilleur pour nous. Ça me semble normal.

— C'est surtout égoïste. Nous aussi, on aime les mecs qui font de la gym, préparent le dîner et offrent des fleurs.

— Ouais, ne tombez pas dans les clichés, mes chéries. Sinon je vous fais la liste des ordures qui ont passé une nuit dans mes bras avant de montrer leur vrai visage et de dégager avec mon pied aux fesses le lendemain.

— Non, non, pas la liste ! Ou alors on fait tous la nôtre, et on ne dormira jamais.

— Sev, raconte… Comment s'est passée ta réception ?

J'adore tchatter avec mes potes sur Skype, ça leur donne toujours des têtes bizarres. Sauf à Vincent, bien sûr. Il gère la caméra comme si sa vie en dépendait. S'il n'était pas gay, je croirais qu'il tente de nous séduire.

— Superbement, me répond Sev. On fait une équipe d'enfer avec Vincent, le client était ravi. Et attendez que je mette notre pourboire devant la caméra… Vous allez voir ça !

— Quoi ?? 200 euros de pourboire ? Moi aussi, je veux ce job.

— Tu adores le tien. Faire des gribouillages et du coloriage, c'est ton truc.

— Du graphisme. Je suis graphiste. Un peu de respect pour cette profession sous-estimée.

— Mais on t'estime ma belle ! s'écrie Sev. Je suis fan des cartes de visite que tu as faites pour ma boîte, et grâce à toi mon site cartonne !

— Tu me feras penser à récupérer ma part du pourboire, alors !

— En voilà une qui ne perd pas le nord. Vincent, comment va Muffin ?

— Tu es partie il y a sept heures, je pense que ta bestiole a survécu.

— Ah, ah, ah. Quand tu auras des enfants, tu comprendras.

— C'est un cochon d'Inde, Marion. Il n'a pas encore appris à parler.

— C'est pareil.

— Non, ce n'est pas pareil.

— Quand vous aurez fini, on pourra ouvrir une petite parenthèse sur Rob Lowe. Parce que, dans le train, on a encore constaté à quel point...

— ... le temps n'a pas de prise sur lui ! OK. Allez, décroche Béné.

— Vous ne savez pas savourer les belles choses.

— Et ton chéri, il va bien ? Qu'est-ce qu'il pense de Rob Lowe ?

— Anna, il faut que tu choisisses ton camp. Tu es féministe ou juste chiante ?

— Un peu des deux. On ne peut pas reprocher aux hommes de regarder les femmes si de notre côté...

La conversation dérape, c'est la nuit blanche assurée si on ne met pas un point final à tout ça au plus vite.

— Dites donc, les jeunes, on a shopping demain. Faut aller au dodo maintenant !

— Il y en a aussi qui bossent demain ! Arrêtez de nous rendre jaloux avec votre shopping.

— On vous rapportera un cadeau. Maintenant je déclare ouverte la session du « dernier mot de la journée ». Anna, à toi l'honneur.

— « Brûlez vos soutifs ! » Béné, à toi.

— « Vive Rob ! » Canouille ?

219

— « J'ai réussi à piquer les chaussures de Marion sans qu'elle s'en aperçoive le 12 mai dernier. » Il fallait que je l'avoue.

— Quoi ? Tu es vraiment une peste. C'est mon dernier mot du jour. « Canouille est une peste. » Vincent ?

— « Je suis heureux d'être un homme, vous parlez trop. » Sev ?

— « Au lit ! » Bonne nuit, tout le monde !

Statut Facebook : C'est bon d'être loin de Paris...

220

31

Statut Facebook : Rage against the brushing, ou le réveil d'une brochette de nanas.

Après mon petit déj avec Andrea, je réveille les filles à qui j'ordonne d'être prêtes dans une heure tapante — depuis que je bosse avec William, j'ai appris à donner des ordres. Je les connais, entre le Babyliss, le mascara mal appliqué, les multiples inter-rogations (« Est-ce que mes chaussures vont avec mes boucles d'oreilles ? »), la préparation de trois minettes peut prendre assez de temps pour que la nuit tombe. À 11 heures, tout le monde est dans l'entrée. Camden Town, nous voilà !

Quatre Françaises à Londres, ça se repère à dix kilo-mètres. Entre Béné qui n'a toujours pas compris comment fonctionne le métro (« Il y a trop de lignes, ce n'est pas comme chez nous, ça m'énerve »), Anna qui hurle à chaque vitrine de magasin comme si elle venait de voir l'objet le plus *excitiiiing* de la terre et Canouille qui traîne des pieds en gémissant qu'elle a faim et va mourir dans sept minutes si on ne s'arrête pas prendre un sandwich chez Prêt-à-manger, l'avancée est assez laborieuse. Mais *fun*. Nous dégustons des sandwichs poulet-avocat avec des frites, histoire de caler nos estomacs. Et nous décrétons obligatoire l'arrêt nourriture toutes les deux heures.

Statut Facebook : Je vais être obèse en deux jours.

Au marché de Camden, je me fais plaisir en n'achetant que des trucs inutiles mais tentants : un porte-cigarette Elvis (je ne fume pas), des stickers avec Jésus-Christ en train de laver la vaisselle, un T-shirt Emily the Strange (alors que je n'en porte plus depuis trois ans), un porte-clé avec le drapeau anglais, un mug siglé *Les Sopranos* et des gâteaux Digestive pour Frank, qui les a spécifiquement demandé. Béné semble obsédée par son portable et envoie un texto toutes les cinq minutes.

— Ne me dis pas que c'est ton mec qui te harcèle comme ça !

— Euh… Si. On est totalement fusionnels depuis notre dernier rabibochage.

— T'aurais jamais dû te remettre avec lui !!! Il t'a trompée !

— Anna… J'ai décidé de tourner la page et je pense que j'ai bien fait. On est très heureux ensemble. Le seul problème, c'est qu'on est devenus paranoïaques ;

222

ça m'a valu des négos d'enfer pour qu'il accepte ce week-end avec vous.

— D'où les six mille SMS par jour. Envoie-lui une photo de nous, comme ça il aura une preuve irréfutable que tu n'es pas en train de te gaver de scones avec un lord anglais beaucoup plus beau et plus riche que lui.

— Pas bête ! Venez là mes poulettes, et dites « Burger Kiiing » !

Trente secondes après l'envoi, l'abruti répond que ça pourrait très bien être une vieille photo, et qu'il ne la prendra en considération que si l'on pose avec un journal à la date d'aujourd'hui. Béné fait mine de l'envoyer bouler, mais je suis certaine de l'avoir vue en train de photographier la couv d'un journal. Décidément, l'amour rend créatif. Enfin…

Après un arrêt à 150 livres chez Top Shop et un autre à 85 chez Urban Outfitters (ma lampe Hello Kitty qui change de couleur toutes les vingt secondes est à mourir), c'est l'heure du goûter léger : chocolat viennois aux chamallows et génoise fourrée à la crème chez Marks & Spencer. Direction HMV pour une ruée sur les DVD de séries, moins chers et plus *up to date* qu'à Paris. Soyons fous, je m'offre l'intégrale de *The Shield* et de *The West Wing* et totalise une économie de 180 euros par rapport à… ce que je n'aurais *pas* dépensé en France. Ça me paraît une raison suffisante, même si je les ai déjà à l'unité. Je complète mon instant de folie avec les coffrets de *Mad Men*, *Californication* et *Sons of Anarchy* ? Après tout, je travaille et les sous, c'est (aussi) fait pour être dépensé. Malheureusement, comme toutes les filles, plus je dépense, mieux je me sens… et plus j'ai envie de dépenser.

Le nouveau livre de recettes de Jamie Oliver pour Sev, un T-shirt dément de Lady Gaga pour Vincent, des bonbons bizarres pour les filles du bureau… Je suis la Mère Noël. Mes sacs pèsent une tonne, j'ai mal aux pieds, il pleut, mais je suis heureuse ! Nous repassons vite fait chez Andrea qui regarde tous nos achats et les note sur dix, avec des zéros pointés pour mes coffrets de DVD. Elle sait que ma folie des séries est en train de se transformer en maladie et elle trouve ça ridicule — venant de quelqu'un qui enregistre « X Factor » les soirs où elle ne peut pas les regarder, ça ne me gêne pas plus que ça.

Pomponnées, belles à croquer dans nos robes, nous reprenons le métro pour nous offrir *THE guilty pleasure* du week-end : un dîner au Fifteen, le restaurant de Jamie Oliver (que nous appelons Jamie entre nous, comme si c'était un pote). Repas à 60 livres par personne, mais chaque bouchée est divine. Je bénis Jamie d'être le meilleur cuisinier du monde. Et je bénis Cuisine TV de diffuser ses émissions qui sont, pour moi, plus attrayantes qu'un film érotique. Sa façon de presser les citrons avec le jus qui lui dégouline des mains, de se lécher les doigts, de mélanger des salades géantes sans couverts, de badigeonner des truites d'huile d'olive avec amour… Jamie me rend électrique. Gnocchis au lapin, soupe du pêcheur délirante avec des fruits de mer, de la rouille, des croûtons, du poisson et panna cotta au coulis de fruits rouges avec gâteau à la pistache, je suis proche… de l'orgasme (oui, bon, d'accord, j'exagère). La note est salée mais c'est London, Baby ! Canouille insiste lourdement pour que nous allions finir la soirée en boîte, mais c'est un « non » collégial qui l'emporte.

— Vous êtes vieilles.

— Et toi, tu es jeune, donc tu fais ce qu'on te dit. Non, mais c'est dingue ça.

— Je ne viendrai pas te voir en maison de retraite.

— Et moi, je ne te prêterai plus mes chaussures.

— Tu ne me les as jamais prêtées !

— Oui, mais j'allais changer d'avis.

— C'est pas cool !

— Bon, les deux sœurs, si vous pouviez décoller Béné de son téléphone au lieu de vous écharper, on pourrait peut-être avancer.

— Ça y est, j'arrête, promis, plus de texto, convient Béné. Je range mon téléphone, je suis sage ! De toute façon, Jacques va se coucher, il bosse demain matin.

— Tu veux dire qu'on est enfin libres ?

— Pas drôle. C'est l'heure de la photo à envoyer à Sev et Vincent.

Serrées les unes contre les autres, nous cadrons plus ou moins bien la photo de groupe prise avec le téléphone de Béné. Et comme, effectivement, nous ne sommes plus toutes jeunes, nous prenons un taxi pour rentrer boire un dernier thé avec Andrea et Darren, avant d'aller bouquiner nos magazines *people* au lit. La nuit est courte, puisque nous avons décidé d'être braves et de nous lever tôt pour aller déguster des churros dans un resto espagnol de Portobello. Niveau shopping, la fièvre est un peu retombée — à part Anna qui décide de négocier un chapeau en velours des années 1920 pendant des plombes. Entre son anglais approximatif et le manque d'entrain de la vendeuse, c'est une grosse perte de temps, et elle finit par le payer au prix affiché. Mais c'est une règle chez Anna : tout ce qui peut être négociable DOIT être négocié. Elle n'a pas tort, mais moi j'ai la flemme. Et puis j'ai toujours peur de déranger les vendeurs.

Nous flânons en examinant tous les mecs qui passent, et croisons Adrian Brody en train de promener son chien. À moins que ce soit son chien qui le promène, vu le mal qu'il a à le suivre. On ne peut pas être dandy, sexy et marathonien. Adrian, tu es beau, tu es pardonné.

L'heure tourne, le moment fatidique du départ se rapproche... Mais quatre Parisiennes assoiffées de Whopper ne se laissent pas démoraliser pour autant : un dernier crochet chez Burger King nous permet de parfumer le wagon avec nos sandwichs. Je m'affale sur mon siège :

— Les filles, je vous préviens, je me mets au régime à partir de tout de suite.

— Attends dix minutes, me dit Anna. J'ai un *sponge roll chocolate* qui n'attendait qu'un train et un thé pour être dévoré.

— Bon, d'accord... si c'est pour la bonne cause.

— Et après, on dit que ce sont les petites sœurs qui n'ont pas de volonté !

226

— Tu es un véritable martyr, ma Canouille.

— Pfff, tu es méchante.

— Mais non… Je te prêterai mon top vert de Camden demain, si tu arrêtes de bouder.

— Deal.

— Je vois que ça se bouscule pour aller chercher le thé au wagon-bar, je me porte donc volontaire.

— Merci, Annaaaaaa !

Cinq minutes plus tard, elle revient avec quatre thés fumants et la tête d'une folle qui aurait rencontré des extraterrestres.

— Ferme la bouche Anna, tu vas avaler une soucoupe !

— Vous auriez mieux fait de lever vos fesses pleines de gras, parce que, moi, je viens de me faire offrir le thé par Rob Pattinson.

— N'importe quoi.

— Je vous jure, Rob est au bar. Enfin, il *était*, parce qu'une bande de filles en chaleur est devenue un peu trop entreprenante. Je suis certaine qu'il m'a draguée.

— Bah, bien sûr. Rob Pattz t'a draguée…

— Il m'a offert nos boissons, ça prouve que je lui ai plu, non ?

— Non, ça prouve qu'il a plus de sous que toi.

— Vous êtes jalouses.

— Pas du tout.

— Surtout toi, Marion. Tu ne t'es jamais remise de l'avoir croisé à Munich, avec du thon mayo plein la tronche.

— Je ne devrais jamais vous raconter mes histoires en détail, ça me retombe toujours dessus.

227

— Buvez pendant que c'est chaud. Perso, je garde le gobelet, ça me fera une boîte pour mes bagues. Je jure devant le dieu H&M que je ne le jetterai jamais.

— À votre santé les chéries, et à notre pur week-end !

— Et demain, retour au boulot.

— Chut ! Ne parle pas de ça, il me reste quelques heures à savourer.

32

Statut Facebook :
Je hais la réalité.

Au fond, j'aime Paris. J'aime le métro, les gens qui font la tête parce qu'ils ne sont pas réveillés, les odeurs de boulangerie, les Vélib', la Seine et les quais, j'aime avoir un H&M et un Starbucks à portée de main, j'aime que les touristes m'arrêtent dans la rue, comme si je portais Paris sur mon visage. Mais quand je rentre de Londres, je hais cette ville. Pour me réconcilier avec elle, je décide d'aller au bureau à pied. Cela m'évite un changement à République (l'architecte qui a dessiné cette station n'a manifestement jamais pris le métro) et me permet de crâner avec mon top Bardelli, la petite créatrice qui monte. Grâce à Nina, je ne suis plus à la ramasse niveau mode, même si j'aime toujours autant mes Converse et mes jeans un peu trop grands. L'idéal serait que j'aie deux paires de jambes, une pour mes Converse et une pour mes Annabel Winship. Comme ça, je n'aurais pas à me poser la question tous les matins.

Arrivée au bureau, je distribue mes sucreries *made in UK* et tends à Frank son paquet de gâteaux Digestive. Il me lance un regard qui va bien au-delà du remerciement.

J'ai presque l'impression de lui avoir manqué pendant le week-end.

Décidée à bosser mollement, j'allume mon ordi en priant pour qu'il ne s'allume pas. Une bonne panne, voilà ce qu'il me faudrait pour appliquer ma bonne résolution. Et là, le miracle se produit. J'ai beau martyriser le bouton « *On* », rien ne se passe. Pas un bruit, pas une lumière. Rien. Le néant. Je suis forcée de pianoter le numéro que je redoute tant : la *hotline*. Je ne comprends jamais rien à ce que racontent les informaticiens. Jusqu'à présent, j'ai toujours réussi à me débrouiller sans eux, mais cette fois…

Kevin, l'informaticien urgentiste, arrive dix minutes plus tard, tout content d'avoir un patient à soigner. Lunettes, cheveux gras, T-shirt *Star Wars*, ventre brioché, baskets fluo et mauvaise haleine, le geek dans toute sa splendeur tente de comprendre de quoi souffre mon ordi.

— Tu l'as bien éteint vendredi soir ?

— Bah oui.

— Dans l'ordre ? D'abord la tour, ensuite l'écran ?

— La tour ? La grosse boîte, tu veux dire ? Je ne sais plus. Mais je l'ai éteint, promis juré.

— Tu as fait la mise à jour de ton Norton ?

— Mon Norton ? Edward ?

— Ton antivirus. Tu l'as mis à jour ?

— Peut-être…

— Ce n'est pas compliqué, tu as dû voir apparaître un pop-up à l'écran pour te signaler qu'il fallait le mettre à jour, puis rebooter.

— Ah, le truc qui s'allume tout seul, là ? J'ai cru que c'était une pub…

— OK. Tu utilises une base de données ici, je suppose ?

— Oui, celle qui gère les programmes.

— Est-ce que tu y as importé des métadatas, même accidentellement ?

— Des quoi ? Non, j'ai rien importé du tout.

— Tu n'as pas fait de concaténation sur un fichier Excel suspect ? Récupéré des données sur des FTP vérolés ?

— Hein ?

— Tu ne comprends rien à ce que je te dis ?

— Tu penses que Bella devrait choisir Edward ou Jacob ? Perso, je suis trop amoureuse de Rob Pattz pour hésiter, même un quart de seconde.

— Rob qui ?

— Rob que tu ne connais pas, parce que tu es un garçon informaticien et que je suis une fille intelligente. Donc, je te laisse en tête à tête avec tes histoires de containers et je vais me préparer un thé.

— Des concaténations. Pas des containers. Elle est bonne celle-là ! Faut que je la poste sur les forums.

— J'ai un blog, tu sais, je ne suis pas complètement débile.

— Il y a beaucoup trop de parasites sur la Toile, je l'ai toujours dit ! Chacun son domaine. Tu ferais mieux de t'acheter un beau journal intime et de laisser le Web tranquille. Les blogs prennent trop de place.

— Je t'en foutrais, des toiles ! Envoie-moi un fax par pigeon voyageur quand tu auras fini, je n'ai pas encore appris à utiliser un téléphone.

Je n'ai pas le temps de faire deux pas qu'il me siffle, comme un toutou.

— Hey, Miss Blog, j'ai trouvé la panne.

— Ah bon ? C'était grave, docteur ?

— Non : la prise était débranchée. Tu viens de gâcher mon temps précieux.

— OK, Bill Gates, alors je t'invite à regagner ton bureau et te remercie pour tes services inutiles. Je te dois combien ?

— Pfff… Des containers. Modulo que tu aies encore besoin de moi pour une *vraie* panne, je te laisse.

— Modu quoi ?

— Lo. Modulo. Il n'y a rien à tirer de toi.

— Greg te dira le contraire. Allez, bye.

Une chose est sûre : je sais y faire avec les hommes. Dès que mes doigts se posent sur le clavier, mes réflexes de *working woman* hystérique me reprennent. Marion par-ci, Marion par-là, j'enchaîne les mails, les grilles de programmes, les dossiers, les coups de fil au juridique et au marketing, le tout en soupirant à chaque quart d'heure. Ouf, Vincent m'attend devant la porte du bureau pour déjeuner. Mais qu'est-ce que je deviendrais sans lui ?

Dans la rue, nous croisons William, fraîchement tombé du lit. Il a son casque de moto sous le bras et son air aimable de tous les jours. Du moins, jusqu'à ce que

232

ses yeux se posent sur Vincent. Je vois son visage se déformer en direct, comme s'il avait rencontré un fantôme. Vincent, de son côté, passe en mode séduction et lui lance un : « Bonjour, vous ! » très suspect. Depuis quand mon meilleur pote 1°/ reconnaît mon patron dans la rue, 2°/ lui dit bonjour, alors que je le hais ?

William accélère le pas sans répondre. Je jette à Vincent un regard en coin.

— Heu… tu peux m'expliquer ?

— C'est le mec des toilettes !

— Le mec des toilettes ? Quelles toilettes ? Ohhhh… William est le mec avec qui tu as… Non !

— Tu veux dire que c'est lui, William ? Tu plaisantes ?

— Non, je n'ai pas du tout envie de rire. Il va me détester encore plus. Parmi les tonnes de mecs qui faisaient les fanfarons à cette fichue fête, il a fallu que tu fasses des cochonneries avec lui. Je n'y crois pas.

— Maintenant que tu me le fais remarquer, c'est vrai qu'il avait des bottes de moto et un pantalon en cuir…

— *Oh-my-God.*

Statut Facebook :
Dites-moi que je rêve !

De retour au bureau, mon cher boss m'accueille, non pas avec une hache, mais avec un sourire plein de dents. Je me plonge dans mes dossiers urgents.

— Bonjour, Marion ! Tu as passé un bon week-end ?

C'est à moi qu'il parle ? Il a décidé qu'on était « copains », comme s'il ne m'avait pas ignorée dans la rue ? Soit. Je vais lui raconter ma vie, ça lui fera les pieds.

— Oui, merci. Je suis partie à Londres avec ma sœur et mes copines. Malheureusement, il y en a une qui n'a pas pu venir parce qu'elle travaillait, mais c'était génial quand même !

— Super. J'adore Hyde Park, c'est magnifique, non ?

Il insiste ? On entre dans la quatrième dimension.

— Euh... Oui. Je peux t'aider ?

— Non, je venais juste vérifier que tout allait bien. J'enchaîne les rendez-vous depuis ce matin. Mais on se voit demain... Sans faute, hein !

— À demain.

Incroyable. Il a tellement peur que je raconte son secret qu'il est devenu mon pote ! Ce n'est pas malin. Car mes vrais potes se posent désormais des questions. Vu leurs têtes, ils essaient de comprendre la volte-face de leur patron. Et, tels que je les connais, ils ne vont pas renoncer avant d'avoir la réponse.

William, mon petit William, tu me déçois. Franchement, je te croyais meilleur stratège.

33

Statut Facebook : Chasse & pêche
version bureau, les prédateurs
attaquent leur proie.

Carine attaque la première, ce qui ne m'étonne qu'à moitié.

— Qu'est-ce qui lui arrive, à William ? Il est devenu fou ? Il a eu un authentique accident avec sa fausse moto ? Il a frôlé la mort et il est en période de rédemption ?

— Je ne sais pas, ma poule. Il en a peut-être marre de jouer au bourreau.

— Ça m'étonnerait. Depuis le temps que je le pratique, je ne me fais plus d'illusions. Non, je t'assure, il nous cache quelque chose.

— Il revient peut-être d'un week-end d'intégration à l'Église de scientologie ?

— Le pire, c'est que ça pourrait être vrai. Ce type est dingue. Ou il a peur de toi depuis que tu as fait exploser Greg en plein vol.

— Ne dis pas ça, ça me déprime.

— Tss, tss, tss… Ce n'est pas un reproche ! Toujours est-il que William m'intrigue. On devrait le surveiller de près dans les jours qui viennent.

— Personnellement, je m'en fiche. S'il peut être plus aimable et moins con, je ne vais pas m'en plaindre.

— Moi, je pense que tu le fais flipper. C'est trop drôle. Tu es mon idole.

— Mouais… Bosse au lieu de raconter n'importe quoi.

Mine de rien, Saskia n'a pas perdu une miette de la conversation.

— Je suis d'accord avec Carine, il y a un truc qui cloche. William a dû sniffer de la colle. Ou picoler. Ou les deux.

— Mais vous êtes maboules, les filles !

— Et toi, tu as la tête de quelqu'un qui sait mais qui ne veut pas lâcher le morceau.

— Moi ? J'ai la tête d'une fille qui a du boulot et l'intention de rentrer tôt chez elle. C'est tout.

— Si, Marion ! Tu sais quelque chose, ça se voit. Confesse-toi, tu te sentiras mieux après.

— Vous êtes cinglées ? Je me sens très bien. Ah ! Désolée, je vous laisse divaguer, j'ai des Beta à rendre à Magalie.

— Lâcheuse !

Fuir ce bureau au plus vite ! Je suis déjà nulle pour garder un secret, mais si on me pousse, j'ai toutes les chances de craquer. Je me suis juré sur la tête de Muffin que, quoi qu'il arrive, j'emporterai cette histoire dans ma tombe. Il faut que je sois forte.

Arrivée dans la cave de Magalie, je la trouve en pleine conversation avec Kevin-le-Geek. Flash-back dans ma tête : je les revois débarquer tout penauds, le lendemain de la soirée Teen TV, habillés comme la veille. Magalie cache son embarras derrière une salve de banalités.

— Marion ! Tu rapportes tes Beta à l'heure. C'est génial. Tu es réglée comme un couteau suisse.

— Je ne voudrais pas payer des pénalités, ma chère.

— Super beau, ton top, tu l'as acheté où ?

— C'est signé Bardelli, tu ne connais pas.

— Bah si, hein ! Mais c'est un peu cher. Tu as eu une soustraction ? Ah, ah, ah ! traître de plaisanterie, c'est de la soie ou du satin ?

— Tu veux toucher ?

— Non, je ne veux pas m'intruser dans ton intimité.

— Magalie, parfois je ne comprends pas ce que tu dis.

— Pourtant je fais tout pour être intelligible pour le commun des mortels, malgré que je lise beaucoup de livres, donc forcément j'ai un vocabulaire très répandu.

Kevin ne semble pas troublé par son langage invrai-semblable. Pas étonnant pour un geek. Je les imagine en train de discuter...

— Vos dialogues à tous les deux doivent être tordants.

— Tu dis ça parce que tu n'as aucune notion de ce qu'est un langage S++, que tu penses qu'un système d'exploitation est une façon de traiter l'être humain, et

237

l'encapsulation un moyen de boucher des bouteilles de Coca light ?

— Si tu veux, on peut demander à Magalie de m'éclairer sur ces points !

— Je ne sais pas, moi. Je suis nulle en maths, ma matière forte a toujours été le français.

— Je n'ai aucun doute là-dessus. Je vous laisse roucouler, j'ai du taf.

— On ne roucoule pas, on parle.

— C'est ça.

On n'aurait pas pu imaginer un couple plus mal assorti que ces deux-là. Encore pire que lady Di et le prince Charles. Je passe dire bonjour à Manon, l'assistante du big boss. Comme d'habitude, elle a une tête à se défenestrer, les yeux exorbités devant son écran et dix gobelets de cafés vides empilés sur son bureau. Première arrivée, dernière partie, je ne sais pas comment elle fait pour tenir ce rythme d'enfer. Si William est un goujat, le big boss est un psychopathe. Je n'ai finalement pas eu le pire.

— Comment ça va, miss ?

— Toujours *speed*, toujours sur les nerfs, toujours contente de te voir !

— On déj ensemble demain ?

— Avec plaisir ! Je passe te prendre à 13 heures à ton bureau. En revanche, je suis désolée, mais il faut que je te chasse, il me reste douze minutes pour boucler un PowerPoint qui prendrait une semaine à un super-héros.

— Bon courage !

J'accélère en passant à proximité de la régie publicitaire, pas du tout d'humeur à écouter leur cours de morale tout en critiquant la mienne. Dès que j'ai rejoint mon bureau, j'enfile mon casque d'iPod pour éviter que Carine ne revienne à la charge avec ses questions. Et j'ai bien raison, puisqu'elle tente le coup par mail.

Objet : Je sais

Que tu sais. Et si tu sais que je sais que tu sais, alors tu dois savoir qu'il faut que je sache ce que tu sais pour arrêter de te pourrir la vie en te disant que je sais.

Re : Je sais

Ce n'est pas parce que tu me rejoues une scène de Friends *que je vais t'inventer une histoire. Je ne sais pas pourquoi William est gentil, et je ne sais pas non plus si ça va durer, alors laisse tomber !*

Re : Re : Je sais

Tu sais que je sais. Et je vais savoir ce que tu sais. C'est tout ce que je sais.

Objet : Pff...

Tu es folle.

Re : Pff...

Je sais.

239

Un coup d'œil vers les plantes vertes. Frank est déjà parti, alors qu'il est plutôt du genre à traîner jusqu'à pas d'heure pour oublier qu'il est célibataire. L'espace d'une seconde, je suis tentée de lui envoyer un texto pour vérifier que tout va bien. Non, Marion, ne rentre pas dans ce genre d'histoire, tu es au régime sec… sans garçons. Pense à autre chose. Une tablette de chocolat, par exemple. Je m'apprête à commencer la diète la plus calorique du monde : pour chaque pensée impure chassée de mon cerveau de fille en pleine poussée d'hormones multipliée par la racine carrée d'une rupture, je me récompenserai désormais d'une petite douceur. On se fait plaisir comme on peut.

Cette histoire va mal finir pour ma balance. Écrasée sous mon poids, elle va exploser. Ce sera tant pis pour elle.

34

Statut Facebook : C'était
une mauvaise idée, finalement.

Quatre semaines et deux jours plus tard, mes cuisses et mon fessier affichent trois kilos six en plus au compteur. J'en étais sûre. Je n'aurais jamais dû me peser.

Je me sens envahie par la cellulite. Debout en culotte sur ma balance, un pain au chocolat à la main, je suis sciée par l'ampleur des dégâts. La dernière fois que j'ai pris autant de poids en si peu de temps, j'étais ado et avais passé un mois et demi chez ma mamie. Pas question de sauter un repas, ni de bouder ce qu'elle avait préparé. Entrée, plat, fromage, dessert n° 1, puis dessert n° 2 devant la télé. Tous les jours. À l'époque non plus, je n'avais pas d'amoureux. Peut-être que, si j'avais eu quelqu'un à qui téléphoner tous les soirs, j'aurais passé moins de temps à boulotter. Ça a toujours été ma théorie : quand on est aimé, rien n'a d'effet sur nous, ni le chocolat, ni les films lacrymaux avec Julia Roberts. Tout juste l'accident de voiture géant à la fin de la saison 4 de *Brothers and Sisters*. Et encore.

Ma technique pour oublier les mecs s'est transformée en énorme déprime. D'abord, descendre de cette fichue balance. Ensuite, jeter la dernière bouchée de mon pain au chocolat — c'est toujours ça en moins. Direction le canapé où je m'affale comme une baleine sur un banc de sable. Impossible d'aller au bureau. Hors de question.

J'envoie un texto à William pour lui dire que j'ai été malade toute la nuit et que je ne peux pas venir. Toujours aussi mielleux, il me répond : « Pas de problème, prends soin de toi. » Ridicule. Les journées passées à écouter ses mièvreries et subir ses faux sourires n'ont pas dû aider mes crises de boulimie. Je le préférais encore en abruti bourrin. Au moins, je n'avais pas à prétendre que tout allait pour le mieux entre nous.

Comme si elle avait un sixième sens, ma sœur me téléphone. Elle me propose de déjeuner avec moi tant qu'elle a du temps.

— Je ne suis pas au boulot, je suis malade.

— Ah bon ? Qu'est-ce que tu as ?

— Je suis grosse.

— Ce n'est pas une maladie !

— Donc tu confirmes ?

— Non, mais lundi dernier tu as mangé deux pizzas et enchaîné avec un tiramisu pour quatre.

— Oui bah, ça va, je sais.

— Je passe te voir ?

— Je ne suis pas habillée, pas lavée et déprimée. C'est la défaite totale. Je ne suis pas sûre que ce soit le bon moment.

— Si, si. Justement. Je suis là dans une demi-heure.

— Tu peux m'apporter un pain au chocolat ? Je viens de jeter le mien.

— Je croyais que tu étais grosse ?

— Je me mets au régime demain, je suis trop triste là.

Quand elle est arrivée, je n'avais pas bougé d'un millimètre. Heureusement qu'elle a un jeu de clés. J'attendais mon petit déj tout en m'ordonnant mentalement de ne pas y toucher. Grosse et schizophrène. Je filais un mauvais coton.

— On sort ? Un peu de shopping, voilà ce qu'il te faut.

— Mais je suis mocheeeeee.

— Tu ne vas pas te plaindre, alors que tu viens d'engouffrer six mille calories !

— Je me plains si je veux, j'ai le cœur brisé.

— Donc... shopping.

— Mais qu'est-ce que je vais m'acheter ? Il n'y aura rien d'assez grand pour mon cul.

— Il existe des jeans XXXL.

— Sympa.

— Allez debout. Moi, je suis de bonne humeur. On va chez H&M et je t'offre ce que tu veux. C'est *open* carte bleue dans la limite d'un article.

— Non, non, pas de fringues.

243

— Un collier chez Bird on the Wire ? Une paire de chaussures à 5 euros ?

— Va pour le collier, comme ça, il n'y a pas de taille. Si ça se trouve, j'ai grossi des pieds aussi.

— N'importe quoi ! Tu as dix minutes pour te préparer.

— Vingt.

— Quinze.

— Deal.

Une heure plus tard, je suis enfin prête. En mode « J'ai pas de look », j'ai mixé n'importe quoi, pourvu que mes fesses soient cachées. À contrecœur, je suis Canouille dans son opération « Sauvez Marion », jusqu'à ce qu'un collier me remonte un peu le moral dans ma boutique préférée du monde entier. En prévision de mon régime du lendemain, je prends aussi un tout petit muffin. Puis énorme salade au chèvre chaud, assiette de frites et panna cotta au coulis de fruits rouges. Canouille mange la même chose par solidarité familiale, mais je vois bien qu'elle peine à finir son dessert.

— Je peux vider ton assiette si tu galères, Canouille. Il ne faudrait pas que tu tombes malade.

— C'est toi qui es malade. Stoppe la bouffe maintenant.

— Demain.

— Non, maintenant.

— Ce soir.

— Pffff…

— Tu as dit qu'il fallait me sauver, tu ne vas pas m'empêcher de me remonter le moral quand même ?

— Tu fais n'importe quoi !

— Facile de juger. Après les catastrophes qui me sont tombées dessus, j'ai bien le droit de craquer un peu.

— Tu ne craques pas *un peu*, mais beaucoup. Tu craques comme un ogre, bientôt tu vas avaler des enfants. Ou ton cochon d'Inde. D'ailleurs tu l'as appelé Muffin, il n'y a pas de hasard. Pauvre bête.

— Pfff… Je commencerai par te bouffer, toi !

— Je ne suis pas une enfant.

— Mais tu es petite.

— N'importe quoi.

— Laisse-moi déprimer à ma façon.

— Tu crois être la seule à avoir des problèmes ? Je n'ai toujours pas de travail, pas de sous, pas de mec non plus, sinon je serais au cinéma avec lui. Toi, tu bosses à la télé, tu as des copines géniales, tu as Vincent, ton appart, tes meubles, ton cochon d'Inde qui ne pisse même pas sur le sofa, ce qui est hyper rare, et tu te plains !

— Tu as fait une étude comportementale sur les rongeurs ?

— Tu m'écoutes ?

— Oui, ça va. Désolée. OK. Mais ce n'est pas une raison pour être toujours opé. Je suis humaine et là, je coule.

— Moi aussi, je suis humaine et j'en ai marre que tu t'intéresses plus à ton travail qu'à moi. Voilà, c'est dit.

245

— Ce n'est pas vrai !

— Que tu ne t'en rendes pas compte, c'est une chose. Mais que tu le nies, c'est hyper vexant.

Et une couche de déprime supplémentaire, une ! En plus de tout le reste, je suis une sœur égoïste. Avec un peu de chance, mes amis vont aussi m'abandonner pour cause de regardage de nombril.

— Désolée, Canouille. C'est nul.

— Voilà.

— Voilà.

— Mais ce n'est pas grave, Marion, si tu arrêtes.

— J'arrête. Pourquoi tu ne trouves pas de travail ?

— Parce que je ne veux pas me taper le premier truc pourri qui passe, huit heures par jour.

— Tu as raison, mais tu peux aussi bosser à mi-temps en cherchant mieux à côté.

— Je n'aurais pas le temps pour les deux.

— Tu rigoles ? Tu as Internet, ça te suffit pour chercher et envoyer ton CV. Une heure par jour et basta.

— Mais non ! Il faut que j'écrive ma lettre de motivation à la main et tout, ça prend vachement de temps.

— Dans quelle époque tu vis ? Youhou ! C'est fini, les lettres manuscrites et les vingt-deux carnets de timbres pour trouver un boulot dont le premier salaire sert à rembourser les enveloppes.

— Ah, d'accord. Tu aurais pu me le dire plus tôt.

— J'ai compris, j'ai été décevante, je ne pensais qu'à mon boulot, bla, bla, bla. Tu es devant une plaie ouverte, pas la peine de tourner le couteau.

— Comme ça, c'est bien ancré dans ta tête en bois.

— En effet. On rentre ?

Ras le bol d'être dehors, au milieu de toutes ces tentations gastronomiques. La solution doit être radicale : faire des courses nulles mais diététiques et m'enfermer à double tour chez moi jusqu'à ce que l'écran de ma balance soit moins flippant. Mais j'ai besoin du secours de la science, je ne vais pas y arriver toute seule.

Un coup de fil au docteur Lila, et j'ai rendez-vous une heure plus tard. Je dois vraiment avoir l'air au bout du rouleau puisqu'il m'ordonne un arrêt-maladie. Et, pour me requinquer, il me prescrit un léger antidépresseur et une énorme cure de vitamines. D'accord, docteur. Tout ce que vous voulez, du moment que vous m'aidez à sortir de cet enfer.

Pour que mon premier repas 0 % calorie me paraisse moins dur, j'invite mes copines et Vincent à le partager à la maison, et cuisine avec Canouille pendant deux heures en écoutant Cindy Lauper.

Statut Facebook : *Girls Just Wanna Have Fu-un !*

247

35

Statut Facebook : Le plus dur dans
les régimes, c'est de se lancer.
Enfin... il paraît.

Ma première semaine sans McDo, ni religieuse au
chocolat, ni Galak a été difficile. J'avais l'intégrale de
Californication pour penser à autre chose, mais ils n'ont
pas tourné assez d'épisodes pour me couper l'appétit. Ma
boîte de Smacks de secours, planquée au fond du placard
pour que Canouille ne la voie pas, a disparu à toute
vitesse. Sans mentionner les litres de Coca light que j'ai
ingurgités pour avoir le goût du sucre. Je n'ai jamais été
douée pour maigrir. Je trouve vraiment injuste de se
prendre la tête pour de bêtes questions de poids. Mon
rêve, c'est de trouver un chéri qui se moque de ma taille
de jean et adore me voir manger à ma faim. Ou même,
puisque c'est un rêve, autant y aller carrément, qu'il
trouve ça sexy que je sois gourmande. Qu'il soit
d'accord avec moi pour dire que manger, c'est chouette.
Que ça fait du bien à la tête. Plus les jours avancent, plus
je trouve ridicule ma peur de la balance. Je suis en train

de me torturer pour répondre à une norme incompatible avec ma personnalité.

On n'est pas toutes nées avec un corps qui élimine le gras et le sucre en un claquement de doigt. Je hais Kate Moss et ses déclarations genre : « Je mange des noisettes et des cacahuètes au petit déjeuner. » Surtout quand je vois le clip des White Stripes dans lequel elle fait sa bonasse en bikini. Je n'aime pas les menus à base de concombre et de pastèque. Quant aux abdominaux que je m'étais promis d'effectuer chaque matin, ils sont passés de un à zéro dès le second jour. Bien partie pour un énorme écart, je suis en train de commander un bagel Summer, des chips et un tiramisu fraise chez Allô Hector quand on sonne à ma porte. Cela ne peut pas être Canouille qui ne sonne jamais, ni Vincent, ni les filles qui savent que je déteste les débarquements surprise. Personne n'aime être vu en culotte et vieux T-shirt Pearl Jam trop grand — ma tenue préférée quand je regarde *Friends* en solo.

J'avais décidé de ne pas répondre, mais à la troisième sonnerie je daigne me lever.

— Ouais ?

— Hum, c'est Frank. Je ne voulais pas te déranger, c'était juste pour prendre de tes nouvelles.

Frank ? En bas de chez moi ? Là, maintenant, tout de suite ? Panique.

— Non, non. Tu ne me déranges pas, j'étais… j'étais en train de relire Proust. Tu veux monter ?

— Hum, oui. Pour relire Proust, pourquoi pas. Deux minutes. Pour voir…

— Pour voir si tout va bien, j'ai compris. Troisième étage, la porte avec le sticker Hello Kitty.

Je cours jusqu'à la salle de bains pour vérifier l'ampleur des dégâts. C'est pire que ce que je croyais : je suis échevelée, pas maquillée et porte un soutien-gorge noir sous un top blanc déchiré sous l'aisselle. Heureusement, l'ascenseur est en panne. J'ai le temps de mettre du déo, un coup de mascara et un pull en un seul morceau. Je suis essoufflée et un peu rouge, mais je suis passée de 3/10 à 6/10.

Il arrive, essoufflé et un peu rouge lui aussi, avec un bouquet de fleurs.

— C'est de la part de Nina, Saskia et Carine. Et moi. On t'a mis un mot.

— C'est trop gentil. Merci beaucoup. Je n'ai pas de vase parce que je n'ai jamais de fleurs, mais je vais les mettre dans une bouteille de Coca coupée. J'en ai au moins cinquante, ça tombe bien.

— La prochaine fois, on t'achètera aussi un vase.

— Je ne serai plus malade. Ça va beaucoup mieux, je m'apprêtais à revenir travailler.

— Pour ton anniversaire alors.

— Voilà. Tu veux boire quelque chose ? Du Coca light ? Dis oui, j'ai que ça.

— Du Coca light, s'il te plaît. Mais je ne vais pas rester longtemps, hein.

— Mais tu as peut-être faim là, il est… 20 h 30 ? Non ! Sans rire ?

— Bah oui.

— On ne voit pas le temps passer quand on s'ennuie. Je te proposerais bien de dîner ici, mais je n'ai que des carottes, des pommes et du lait écrémé.

— Tu es à la diète ou quoi ? On peut dîner dehors, si tu veux. Enfin, si tu n'as rien de prévu. C'est comme tu le sens, je ne te force pas.

— Au contraire, cool. Je commençais à me transformer en meuble. Tu me laisses cinq minutes pour me changer et on décolle.

Grand moment de concentration, Marion, il ne faut pas perdre une seconde. Tu as un super garçon sur ton canapé et quelques minutes pour passer à 8/10. Telle Wonder Woman, je suis habillée, maquillée, rasée (on ne sait jamais) et babylissée. On ne croirait jamais que je ne me suis pas attardée dans la salle de bains dernièrement.

— Je suis prête !

— Rapide avec ça.

— Avec quoi ?

— Hum… Rien. Avec rien. Hum… J'ai regardé sur Internet, il y a un resto indien qui a l'air top à cinq minutes. Ça te tente ?

— Oui, parfait.

— Évite tes Annabel Machin, il pleut.

Je rougis en entendant cette phrase, en apparence anodine, mais qui me semble très intime. Protectrice. Ça me fait du bien. En fermant la porte de l'appart, mon cœur bat la chamade. J'ai du mal à croire que Frank est là, devant moi. Rien à voir avec nos habitudes du bureau. Cette fois, c'est un *date*. Frank porte son sweat à capuche vert que j'adore, il s'est laissé pousser la barbe, il sent bon… Je suis excitée comme une adolescente à un concert de Justin Bieber. En général, c'est dans ces cas-là que je panique. Récapitulatif des règles à suivre :

1° – Ne pas trop dévoiler ma vie privée.

2° – Ne pas DU TOUT parler de mon régime.

3° – Ne pas lui poser trop de questions sur le boulot.

4° – Ne pas mentionner toutes les cinq minutes ma relation ratée avec Greg.

5° – Ne pas trop me pencher pour qu'il voie mon décolleté.

6° – Ne pas le laisser payer l'addition, et surtout…

7° – Ne pas lui demander cash s'il est toujours célibataire. Même si je me doute de la réponse, il ne faut pas que je me montre intéressée, sinon il partira en courant.

Si je respecte ces consignes, tout devrait bien se passer. Et je ne vois pas, vraiment pas, ce qui pourrait m'empêcher de les respecter, ces consignes !

**Statut Facebook :
Que la force soit avec moi !**

36

Statut Facebook : Mais je vais le lâcher, ce fichu Facebook ?

Après m'être ridiculisée en tombant dans les escaliers, parce que j'ai voulu changer mon statut Facebook avant d'arriver dans le hall, il faut absolument que je me reprenne. Sans boiter, malgré ma cheville tordue, je fais mon possible pour marcher le dos bien droit, histoire « d'optimiser ma silhouette » (j'ai lu ça dans *Grazia*). Il ne pleut plus, mais mes Converse glissent sur le bitume mouillé. Je suis terrifiée à l'idée de me rétamer une seconde fois. Ou de dire quelque chose de travers. Résultat, je reste muette. Frank est obligé d'oublier sa timidité pour relancer la conversation.

— Alors, tu te sens mieux ? Ça t'a fait du bien de te reposer ?

— Oui, beaucoup. J'étais trop sous pression. Mais je me suis requinquée. Ça va au bureau, tout se passe bien ?

Bravo, règle n° 3 brisée au bout d'une minute, ça promet.

— William est toujours fatigant, on diffuse encore de la musique nulle, personne n'a le temps de faire

253

quoi que ce soit, et tu n'as pas été remplacée. Bref, c'est un vrai bordel. Ça t'étonne ?

— Ça ne fait qu'une semaine, je suppose qu'on ne ressent pas du tout mon absence ? Hum.

— Si. Enfin, un peu quoi. Nous, on s'en fout, du boulot, c'est pour toi qu'on s'inquiète. Mais maintenant, je vois que tu vas bien.

— Je suis une grande fille, je sais prendre soin de moi. Heureusement, vu que je suis toute seule. Célibataire je veux dire. Enfin, tu le sais. Depuis Greg…

Est-ce qu'il me reste encore une règle à transgresser, là ? Je suis tellement maladroite avec les mecs, pas étonnant que je sois seule. Je vais le pousser à fuir en rabâchant ma tragédie grecque avec l'autre naze infidèle. Inspirer un bon coup et trouver une parade. Vite.

— Sinon, toi, la vie, ça roule ?

— Comme d'hab, j'avance. J'essaie de ne pas trop me prendre la tête.

Miam, son sourire est craquant. Je jurerais qu'il vient de me faire un clin d'œil, mais il n'y a pas assez de lumière pour en être sûre à cent pour cent.

— Tu as un secret pour rester zen ? Hum… Une amoureuse qui te change les idées ?

Record du monde de la fille la moins douée en rencard. S'il y avait un gouffre devant moi, je me jetterais dedans.

— En fait, je n'ai pas vraiment de… Ah ! Regarde, on est arrivés. Ça a l'air sympa, non ? Tu as faim ? Tu veux aller ailleurs ?

— Non, pas du tout. C'est top.

Il me tient la porte, avance ma chaise pour que je m'asseye, me demande encore si l'endroit me convient... Je fonds. Ses yeux brillent, à moins que ce ne soit moi qui aie des étoiles dans les miens. Mon ventre gargouille tellement que j'en suis gênée. Pas franchement classe pour une lady.

— J'en conclus que tu as faim !

— Après huit jours de régime sec, je croquerais n'importe quoi.

— Un régime ? Pourquoi ?

— J'ai grossi à cause de ma théorie sur le remplacement de garçon par la bouffe. Maintenant, j'essaie de perdre les kilos pris en route.

— Hein ? Vous êtes malades, vous, les filles. Vous croyez toutes qu'on essaie de deviner votre poids quand on vous regarde ou qu'on vérifie que vous ne faites pas plus qu'un 36. C'est ridicule.

— Vraiment ?

S'il me sort encore une phrase comme ça, je ne réponds plus de rien. Maintenant que j'ai parlé de mon pathétique régime, je peux tout me permettre.

— En tout cas, moi, je m'en fous. Je veux juste une fille avec qui je suis bien.

— Et tu l'as trouvée ?

— Je ne suis pas pressé.

— Donc tu es tout seul ?

— Tu n'insistes pas un peu, là ?

— Non, ce n'est pas ça. Je veux mieux te connaître. En tant que collègue. Normal.

— Tu me fais rire. Oui, je suis tout seul. Mais ça ne me gêne pas. On commande ?

On commande. Je n'avais jamais passé de temps seule avec Frank. On fonctionnait toujours en bande avec les filles du bureau. Je découvre un garçon ouvert, prévenant, curieux. Quelqu'un qui pose des questions et écoute les réponses, s'intéresse à moi comme je m'intéresse à lui. Un garçon qui tolère mes gaffes. Entre le riz basmati renversé sur mes genoux, le bruit de ma paille dans mon lassi à la mangue et les trois fois où j'ai vérifié qu'il était vraiment célibataire, j'ai fait du grand Marion. La seule règle que je n'ai pas brisée fut celle de l'exposé de décolleté, et pour cause : j'ai fini par attacher ma serviette à mon col au bout de la seconde tache de sauce curry sur mon top. Si j'avais été lui, je me serais vraiment demandé ce que je faisais là. Au lieu de ça, il a légèrement flirté avec moi, mais sans se comporter en bourrin-rentre-dedans, ce qui était vraiment très agréable.

Je l'ai laissé payer l'addition en le remerciant d'une caresse sur la main, et il a proposé de me raccompagner. Il pleuvait, j'ai ouvert mon parapluie rose en plastique sous lequel il n'a pas eu honte de se glisser, ignorant volontairement sa capuche. J'étais nerveuse. Je n'osais plus le regarder quand il me parlait, par peur de rougir. Nos bras se frôlaient, mes jambes tremblaient. Je ne savais pas exactement si c'était lui qui me troublait, ou le fait qu'il soit un garçon charmant. Honnêtement, je commençais à penser que ça n'existait plus. En tout cas, pas pour moi.

Quand nous sommes arrivés au pied de mon immeuble, je me suis retenue de lui proposer de monter chez moi. Le dernier café qu'on boit dans les films, j'ai toujours trouvé ça vulgaire. Surtout de la part d'une fille. Nous nous sommes dévisagés bêtement.

— Bon, je vais y aller. Hum… C'était sympa, cette soirée avec toi.

— Même si je suis une catastrophe ambulante ?

— Tu es une fille, c'est tout.

— Ah.

— Une fille bien. Vraiment bien.

— Ah. C'est gentil. Bonne nuit, alors. Merci d'être passé.

Je n'espérais rien. Il m'a prise par le cou et a déposé un baiser sur mes lèvres avant de partir, les mains dans les poches. Je suis restée sous la pluie à le regarder s'éloigner. J'ai même fermé mon parapluie pour profiter de la fraîcheur des gouttes, je me sentais bien. Libérée. Une fois chez moi, j'ai pris un long bain et suis allée me coucher pour être fraîche le lendemain matin, au bureau. Je n'ai appelé ni Canouille, ni mes amis, pour leur raconter. C'était mon trésor à moi, juste pour la nuit. Je ne lui ai pas non plus envoyé de texto pour le remercier encore de m'avoir sortie de ma cure de désintox, par peur de le brusquer. J'ai dû m'endormir avec un énorme sourire sur le visage.

 Statut Facebook : *Just Breathe*.

37

 Statut Facebook : Je vous en prie, Dieu Joseph Arthur, faites que je n'aie pas rêvé hier soir.

Quand j'arrive à Teen TV, William est à mon bureau, seul dans l'*open space*. Il regarde dans le vide, l'air soucieux.

— Salut, William. Ça va ?

— Mouais.

— Il y a un problème ?

— Non, rien.

— OK. Je vais préparer ton thé.

— Pas la peine, j'ai rendez-vous avec Bernard dans deux minutes.

— Ça a l'air de t'enchanter.

— Je pense qu'il va me virer. Ça me soulage un peu, pour tout te dire. J'en ai marre de ces conneries. Cette boîte fonctionne à l'envers. Elle te dégoûte de ton travail au lieu de te motiver.

— Si tu le penses vraiment, tu devrais te réjouir de voir le bout du tunnel.

— C'est toi qui dois être contente ! Tu rêvais de te débarrasser de moi, c'est bientôt fait.

— Pas du tout. Je n'ai jamais souhaité le départ de personne. Pas même celui de Greg — avant que tu ne me fasses de réflexion désagréable.

— Ce n'était pas prévu. Je me suis comporté comme un crétin avec toi, je n'aurais pas dû. Greg n'a eu que ce qu'il méritait, et je le mérite aussi. Ça fait trop longtemps que je trompe ma femme, tu es bien placée pour le savoir.

Il me ferait presque pitié avec ses yeux de cocker. J'ai du mal à reconnaître le goujat qui a gâché mon arrivée en télé.

— Oui, bon. Cette histoire avec Vincent… Tu sais, ça m'est égal. Enfin, je veux dire, ce ne sont pas mes affaires et…

— C'est derrière moi. Il est temps que je me reprenne en main et que je vive ma vraie vie. Je suis fatigué. Contrairement à ce que vous pensez, je suis un mec gentil. Trop gentil, même. J'ai appris à me blinder pour supporter les coups, mais je me suis laissé broyer dans ma carapace. Ce look viril, mes coups de gueule, ma moto imaginaire… ce n'est pas moi. Tu n'imagines pas ce que c'est de tenir tête à Bernard au quotidien, il m'a crevé. Ça va me faire du bien de partir.

— Tu devrais y aller, tu vas être en retard et le boss sera encore plus désagréable.

— Tu as raison, je te laisse bosser. Tu te débrouilles bien, accroche-toi.

— Merci.

259

— Avant qu'on se fasse un câlin, je vais affronter Dracula en saharienne une dernière fois. Et lui dire ce que je pense de lui, ça me remontera le moral.

— Bon courage.

Partir d'ici, quelle bonne idée. Depuis mon premier jour, ma déception n'a fait que grandir. J'ai toujours mis ça sur le dos de William, mais la vérité, c'est que je me suis peut-être tout simplement trompée de voie. La télé, ça a l'air sympa de l'extérieur, mais c'est trop tordu pour moi. Je m'installe à mon bureau et ouvre ma boîte Outlook : trois cent vingt-deux mails non lus. Aïe, il me faut un cappuccino et un KitKat. D'urgence.

Frank arrive une demi-heure plus tard. Il évite mon regard, s'installe et met tout de suite son casque sur les oreilles. Mon cœur se serre. Je me suis sans doute fait un film. Son baiser n'était qu'une impulsion, il ne veut pas *vraiment* de moi. Je peux le comprendre : c'est une sacrée tannée de sortir avec la fille qui a étalé sa vie sexuelle en public. Partir d'ici. Trouver une île déserte où ma réputation serait intacte. Me tenir à carreau. Ne pas répondre à mon boss, ne pas craquer sur le premier beau gosse venu, ne pas trop m'impliquer, être plus attentive à mes proches. Recommencer. Voilà ce qu'il faut que je fasse. Vite. Où trouve-t-on une île encore déserte aujourd'hui ? Je chercherai dès ce soir.

Je suis ravie de revoir mon trio de drôles de dames préférées. Carine, toujours pleine de délicatesse, fait vaciller mes bonnes résolutions en deux secondes.

— Bah alors, on pensait que tu ne reviendrais pas ! C'est cool que tu sois là. Je me suis dit que tu te planquais pour qu'on arrête de te demander ton secret avec William !

— Je ne vous laisserais pas tomber, voyons les poulettes ! Et arrête avec ce fichu secret. Peut-être que William n'est pas un salaud, mais un mec dépassé par ses responsabilités.

— Tu es tellement naïve. Mais ce n'est pas grave, on t'aime bien quand même.

J'adore ces nanas. Elles m'ont aidée à trouver ma place. M'ont accueillie dans leur clan, soutenue, consolée. Elles me manqueraient beaucoup si je ne les voyais plus. Et je tiens à suivre la grossesse de Nina en *live*, c'est ma première copine enceinte.

Vers midi, Frank passe à mon bureau.

— Marion, on peut parler deux minutes ?

— C'est urgent ? Tu peux attendre une heure ou deux ?

J'ai tellement peur qu'il m'avoue s'être un peu emballé la veille que je n'ose pas me confronter à lui. Les yeux rivés sur mon écran, je surjoue la fille qui n'a pas le temps.

— Marion… Je préférerais tout de suite, si ça ne te dérange pas.

— C'est pressé à ce point-là ? OK.

Je le rejoins dans la salle Lady Gaga, maudissant ma faiblesse. J'aurais mieux fait de rester chez moi. Prolonger mon régime 0 % mec. Mais, la porte à peine fermée, Frank m'embrasse fougueusement. Sa bouche est délicieuse, ses mains si douces, son parfum envoûtant. Je décolle du sol.

— Frank, écoute. Je ne suis pas prête à être cassée en morceaux par un garçon une nouvelle fois. Qu'est-ce que tu veux ?

— Être avec toi. C'est tout.

— Mais tu m'as ignorée toute la matinée !

— Je veux être sûr de ce que tu ressens. Mon ex m'a quitté pour mon meilleur pote. Je suis comme toi. Méfiant.

— Je ne te ferais pas ça. Jamais. Tu es le premier mec sensé avec qui je suis depuis longtemps.

— Je ne suis pas certain que tu sois sensée, mais j'ai bien envie de vérifier par moi-même.

— Alors on est ensemble ? Vraiment ?

— Vraiment.

Tous mes membres se détendent... Je ne suis plus qu'un lamentable petit tas de guimauve au moment où il me serre dans ses bras et me répète, tout bas : « Vraiment. »

Dois-je démissionner ? Chercher un job moins envahissant ? Rester ici et montrer de quoi je suis capable, sans William ? Me donner une *dead-line* avant de prendre une décision ? Ce sont les questions que je soumettrai à Canouille, Vincent, Béné, Sev et Anna ce week-end, quand je leur présenterai Frank officiellement. C'est lui qui me l'a demandé : il veut « faire partie de ma vie ». Quant à mes kilos, ils sont bien où ils sont. Je me ferais bien un McDo ce midi, tiens.

En amoureux.

Statut Facebook : All You Need Is Love. Toudoudoudoudou...

Fin

La playlist idéale, signée Marion, pour dévorer ce livre

Pearl Jam — *Hail Hail*
Patrick Swayze — *She's Like the Wind (Dirty Dancing)*
Joseph Arthur — *History*
New Kids on the Block — *Step By Step*
Madonna — *Material Girl*
The Cure — *Friday I'm in Love*
Deftones — *My Own Summer (Shove It)*
Cindy Lauper — *Girls Just Wanna Have Fun*
Grease — *You're the One that I Want*
Kings of Leon — *Sex on Fire*
Marilyn Manson — *King Kill 33°*
Limahl — *The Never ending Story (L'Histoire sans fin)*
Blind Melon — *No Rain*
Eddie Vedder — *Big Hard Sun*
The Fray — *Happiness*
Kaiser Chiefs — *Heat Dies Down*
Lady Gaga — *Just Dance*
My Chemical Romance — *I'm Not Okay*
Nine Inch Nails — *Everyday is Exactly the Same*

Pixie Lott — *Mama Do*
Snow Patrol — *The Golden Floor*
Suede — *Animal Nitrate*
Tori Amos — *Smokey Joe*

… La suite sur Facebook : Marion Teentv.

MERCI !

Merci, merci, merci, à ma sœur Jessica et à mes grands-parents, Muriel et René, pour leur soutien et leur amour inconditionnels. Pourtant, je suis vraiment une plaie !

Merci à mon formidable amoureux, Frank, qui me rend la vie si belle.

Merci à mes super copines que je ne citerai pas parce que je vais en oublier deux et être maudite sur trois générations ! Vous êtes formidables, vous êtes belles, vous êtes fortes. *Sex And The City*, à côté de nous, c'est une blague. J'aime beaucoup tous mes copains mais, s'il y en a un que je dois remercier ici, c'est Francis Tier, sans qui je serais encore en train d'écrire le fanzine du fan-club de Marilyn Manson.

Merci aux gens courageux et tenaces avec qui j'ai partagé (et partage encore, mais ailleurs) mon expérience dans le monde merveilleux du divertissement. Tenez le coup, les jeunes !

Merci énormément à l'éditeur qui a cru en moi et m'a permis de réaliser un rêve avec ce premier roman et à Véronique Girard qui, armée de beaucoup de patience, m'a poussée à faire de mon mieux.

Merci à Annabel Winship qui habille si magnifiquement mes pieds que je n'ai plus besoin de porter de bijoux (www.annabelwinship.com, boutique parisienne au 29, rue du Dragon, dans le VIᵉ).

Merci à Allô Hector qui livre des bagels et des tiramisu chocolat à toute heure de la nuit et offre des Carambars.

Et merci à vous, qui avez lu jusqu'à la dernière page ! Je vous retrouve sur mon blog : www.leshistoiresdecharlotte.unblog.fr et sur le Facebook de Marion : Marion Teentv.

Composition et mise en pages : FACOMPO, LISIEUX

Achevé d'imprimer par GGP Media GmbH, Pößneck
en octobre 2011
pour le compte de France Loisirs,
Paris

N° d'éditeur : 65397
Dépôt légal : novembre 2011
Imprimé en Allemagne